工作者宣言

谷川雁

目次

工作者宣言

工作者の論理

T氏への手紙

　私は見えないものについて語る人間です。前方の霧のなかでうごめく形を愛する男です。工作者というイメージはいわば音楽のような抽象です。あなたはそれを語れと求められた。しかし、それは私にとって思想でもなければ科学でもないことを御承知ですか。それは一種の本能の呼び名であって、あなたのいわゆるメタロギーなのです。

　それはしゃっくりのように私のからだからとびだしてくる観念にすぎません。おそらくその発生のからくりを私自身が追跡しようとすれば、ヴァレリイがおちいったように自我の絶対的不毛性を証明することにしかならないでしょう。もし私が真に工作者たらんとするのなら、その言葉を乱用しないに越したことはありません。奇妙な行動……私の幻影を万人の眼から隠しておきたいという欲望に勝つ必要がなければ、私はこの文章をお断りしたにちがいないのです。ちょうどルネッサンス熱がいかに高まっても、人々は容易に食欲や性欲を或る種の修飾と切り離さないように、私の心中ではおまえが工作者について書くなんて何たる恥しらずだという声がやみません。私はただそれと闘いたい、もうひとつの怒りによって書くのです。

この怒りをかきたてたのは、これまたあなたの便りでした。私はいま南九州から移って筑豊炭田の片ほとりに住む甲殻類ですが、そうなったことのしだいを述べる余裕はありません。自分の全生活から偶然を追いだそうとする欲望が、私にかすかな偶然をかきあつめて現在の存在様式を決定させたのです。「はや日も暮れぬるほどに、人々急ぎ渡さばやと存じ候」とか何とかいって、さとってもいないわりには、あっさりと出たり引っこんだりする非情のワキ役にはまだほど遠い次第ですが、私の耳にはいまも遠賀川の鉄橋を渡る、あきれるように長い貨車のひびきがつたわってきます。その低く重いセムという名の炭車のうめきをじかにあなたの横隔膜へ共鳴させることができたなら、私はもうデクノボウのように舞台に立っているだけで十分でありましょう。

けれども、私があなたに書きたがっている理由は、まさにその一事のために私がいつも立ちすくむからなのです。このあたりで「陥落」と呼ばれている、地底の坑道のせいで柱はかたむき、壁は落ち、床さえもうねっている丸木小屋同然の私の城——そこでときおり剣と数字と花を組みあわせた革命への誘ないとでもいうべきまぼろしが、私の鼻先を襲います。私はその印象の火花を枯れた薪に移したり、自分勝手な定式に凍らせたりします。手あたりしだいにひん曲げ、また伸ばして釘や蹄鉄を作ります。胸の奥で笑いがわきたち、比喩がおどりだします。昔話の大力無双がよみがえり、自分の苦痛にひげをつけるとか、足をもぐとかしているうちに、ぼんやりと浮んでくる見知りの顔と対話します。だが、それははたして私のひとり合点ではないのかどうか、このようにひとつの舞踏に似た対話というものがありうるのかどうか。この疑問を解かないうちには、私は自分を進歩的な個体と考えてすませる楽観論に関係をもちたくないのです。

あなたがたは思想の生態論が得意でいらっしゃる。思想が非思想の領域に溶けこむあたりをうまくピンでおさえて、比較分類をなさる。私もそんな仕事がべつだんきらいではありません。むしろ、無償の行為としてはかなり純度の高いものだとおもうのです。たとえ私があなたがたによって一匹の蝶とみなされ、ナフタリンくさいところに納まったとしても、私にもまた無償の行為を助けたという満足があります。しかし、私はあなたがたの仕事に同情を禁じえないところがあります。つまりあなたがたが自分に課した機能の必然として、すべての他人の思想に対し、主観的におれは無縁だよと断定できないつらさはいかばかりであろうかと思うのです。私はあなたがたの仕事よりもモラルの方に一層興味をもちます。眼にふれるかぎりのすべての女と接吻せよ、というにひとしい命令を感じるとは、私のような独白のもつ対話としての意味を追求している者にとっては、なんとめざましい驚異でしょう。私はほとんど目まいを起しかけます。あなたが工作者について語り、私が思想の生態を論じた方が順路であるまいか、と。

だが論理の発展上、ある限度までゆけばふたたびあなたと私の位置関係はいれかわります。さて、両者が会話を交すとしたら、どこにその場が成立しうるのでしょう。この回転木馬の上から交換される信号が何を意味するのでしょう。

私にとって、雪舟や武蔵と炭焼小屋の老いたる父をくらべることが昔の習慣でありました。しかしそれはもう今ではなんの緊張も持たない手馴れた精神の放電現象でしかなくなりました。私は自我を、私のなかに侵入した他人とみなすことでヴァレリイの道を十年前に棄てました。それで、あなたがたやすく他人に一箇の聖霊のように乗り移っているのを見ると、それは生活的にも文学的にもフィクションの許容限度からの逸脱とみえるのです。自分のうちに侵入した他人を、ただそれだけを語れと言いたくなるのです。

そしてあなたは去年の秋、陰気な学士会館の一室へ侵入してきました。私はといえば、そのすこしまえに日高六郎氏へ侵入しかけていたのです。そこで私たちは向きあいました。私たちは行動の最初のエネルギーがたがいに正と負の方向へそっくりかえっていることを認めました。私はもっぱら乾草の香りに酔った牛の鼻のように、まずめえと鳴くことを主張しました。懐疑という術を用いなければ鳴けないふりをする種族が私を尊敬する夷狄といった風に扱うことを怒っていました。いまではすこしあなたは鳴きすぎると思っています。奇妙なことです。二人とも逆の方向に動いたのでしょうか。それとも前の通りに進んで位置が変ったのでしょうか。あるいはまた立っている地面が動いたのか。おそらく私が自分の要求に妥協したからです。

だが工作とは伝達の可能を信じることです。そのゆえにまた伝達の困難を知りつくすことです。この意味で工作は避けることのできない誤解に沿って進んでゆきます。工作者はつねにその誤差が目的にとって許容範囲内のものであるかどうかを測定します。それがまた論理の浸透しうる限度でもあります。彼がしばしば逆説を用いるのは花田清輝氏のばあいとおなじく、彼の放胆さのせいではなくて細心さによるのです。不用意な飛躍によって肉離れすることをおそれるからです。そこで逆説によって一度通った丸木橋を後もどりしてみます。もしそのとき橋の振幅の程度が足に感じられたら前進します。なにも感じなければ彼が信じるような先駆的な橋でないか、または彼が単にとび越した溝です。逆説とは一つの伝達路を三度通ることです。

だから私が愛用するような「偏向きわまって原則となる」といった類いの手製のマキシムは逆説というよりもむしろ比喩です。すなわち逆説の反対です。それは小さな溝を論理の連続性に頼らないで飛びこえることです。けれどもこのマキシムは原則論者に機智の反応を起させたとしても、それに喝采を送る人々はおそらく原則そのものの存在を認めたがらない人々でしょうから、私は橋を所有したことになりません。

だがもともと私は「共産党もまた死滅する」という毛沢東の命題などは諸行無常といった概念と対比させてみなければ、ほんとうの理解も説得もできない気がしているのです。日常化された仏教の理念とコミュニズムの原理を向きあわせて説かれたパンフレットが広く読まれたら、きっと老人だけでなく若い世代にも大きな影響をあたえるでしょう。共産主義社会と極楽浄土は私たちのなかで無意識のうちに手をとったり、なぐりあったりしています。でなければ近代と地獄を結びつけた特有の文学くさい観念がこれほど容易にわが国で流布するはずもなかったでありましょう。いずれ私たちは即身成仏できる方を選ぶのです。しかもそのときは無数の比喩の羽を使って此岸へやってくるのです。

工作者という桶は一つ一つ例証をもった逆説と比喩でいっぱいになっています、その共有部分を確認しようとする二人は、きっと千一夜もしゃべりつづけなければならないでしょう。私たちはときたまの会議でこの桶をくつがえそうと試みます。しかし時間が足りないので、すぐあきらめてしまいます。そして論理の前提部分はほとんど整合されず、各人のイメージはなんらの浸蝕を受けあわないままに結論を出します。その有効範囲があまりに広いので反対しようもないといった結論を。このような結論によって動く現実の質的な深さというものがどの程度のものであるか、実践しないうちからおよそ見当がつく、その空しさに対する怒りのようなものが今日の工作の動力になっているといえないでしょうか。

あなたがたが日本のマルクス・レーニン主義者の過去について、とくにその滑稽な古典的倒錯について適切な批判をなさっておられるのには感謝しています。もちろんそれは私がひとりの党員証の持主として感謝するだけではなく、広い国民のひとりとしてなのです。けれども時として私が奇異に感じるのは、あなたがたが現在の党をふくめて批判の要点とされているものの若干はすでにかなり多くの党員が中央、地方を問わず感じていながら、まだそれを実践化できないでいる部分だということです。その場合、未解決の責任を負わなければならない主体が頭をさげてしまうことでは、私たちの問の伝達の糸は切れてしまいます。まして私の見るところでは病識の欠如を攻撃する部分のもっとも苦しんでいるのは時間なのです。時を貸せ、さらば解決せんというのではなく、不断にあらゆる時点で時間が足らないのです。ある意味では、それが私たちの光栄なのです。だから私たちの間ではレーニンが月に何冊の雑誌をよみ、毛沢東が日に何種の新聞をよんだかというような問題になれば、議論と哄笑が常にいきいきとよみがえります。なぜなら、私たちは論理が肉化するまで待たなければ、なにひとつ醱酵しないことを知っているからです。つまり醱酵促進の方法がみつかっていません。

　それは一種の酒作りのなげきであります。恐しいのは、このような経験と論理の堆肥が乱雑に雨ざらしにされ、むなしく分解してゆくことです。あなたは地方の老いた工作者がどのような沈黙を所有しているかごぞんじですか。彼等はむしろ饒舌です。なめし皮のような笑いの持主です。しかし、もっとも語りにくいことを語らねばならないときになると、「それはつまりあんな風になるんだ。分ってるじゃないか。」といったぐあいの炭焼きの老父とまったく変らない無言の経験則に凝結します。私にとっていま戦慄と苦悶をおぼえる唯一の対象ともいうべきなのは、彼等の巨大な虚無の穴と老農夫のそれがどのように対応しあうものかという疑問です。この鍾乳洞に似た欠落はかつての兵士たちにもときどき見られるものです。自分の未来を壊れた甕として見ることが工作者の資格なのか。では現在の私にその小模型を見ることも不可能ではありますまい。それがある顕在的なエネルギーによって加えられた衝撃の結果なら、ひとりの個人が破片になることくらい何でしょう。だが人々から浸蝕されないことによっておこる陥没を恐怖しないことは、すでに工作者の圏外にみずからを去らせることだと考えざるをえません。

この恐怖こそ私を駆りたてて叫びをあげさせる張本人です。一世一代のダンディズムとして工作者を自称せざるをえなかった理由です。私はそれをサブリーダーなどと思っていません。追いつめられてみずから月桂冠をかぶったのです。

いわば私のそれは猫が苦しみのあげく虎と化したのです。しかしほんとうの虎がいるにちがいありません。私はそれを特殊部落民に、農婦に、炭鉱納屋にさがしあるいているのです。だから私は自分を正の工作者と呼んでいます。これに対してみずからをひたすら行為の陰極に置くことで私を動かしている相手……うまれながらの虎を負の工作者と名づけるのです。はなはだ直観的な言い方をすれば、私の感覚はそこではじめて女というものの実体につきあたります。自分を分解することなくして共有感覚を抱き、その凍結されているまぼろしのごときエネルギーを上昇させる可能性としての女に。私はその起爆装置にすぎません。核融合をもたらす最初の核分裂であろうとしてもだえているのです。私は性愛と革命の共存または相互作用ではなく、両者が同義語の反覆となることを目標にしているのです。ちょうどあなたが思想と科学についてそれを究極的に求めておられるであろうように。

私はあるとき、次のように書きました。

「——そのためには沈黙する重さを表現する重さへ変化させる強大な電流の下向きの衝撃が必要になる。逆さまにたたくよりほかないのだ。倒錯は必至だ。大衆と知識人のどちらにもはげしく対立する工作者の群……双頭の怪獣のような媒体を作らねばならぬ。彼等はどこからも援助を受ける見込みはない遊撃隊として、大衆の沈黙を内的に破壊し、知識人の翻訳法を拒否しなければならぬ。すなわち大衆に向っては断乎たる知識人であり、知識人に対しては鋭い大衆であるところの偽善の道をつらぬく工作者のしかばねの上に萌えるものを、それだけを私は支持する。そして今日、連帯を求めて孤立を恐れないメディアたちの会話があるならば、それこそ明日のために死ぬ言葉であろう。」（『文学』一九五八年六月号）

そこのところを、あなたのピンセットはこんな風につまみます。

「それは谷川雁が近ごろいっている工作者の必要ということなんです。工作者という新しい人間類型が出て来なければいけない。大衆に向っては知識人の言語と思想をもって妥協せずに語る。知識人に向っては、大衆の言語と思想で語る、という双頭の怪物となった工作者の群像が出て来なければ、これからはだめだというわけです。地方に点在している人々とか、小学校中学校の教師、コミュニケイション・インダストリーにいる人々とかから工作者が出てくることが必要だ。」「工作者は片道の交通を担当するのじゃない。逆に大塚（久雄）、丸山（真男）自身の思考を変えていくようなエネルギーを持った人を工作者として考えるわけです。」（『中央公論』一九五八年十一月号〈戦後日本の思想の再検討〉第五回）

すこし待ってください。私は類型としての工作者なんかを考えたことは一度もないのです。まして工作者――私の言葉でいえば正の工作者がはたして新しいものでしょうか。今日まで私たちのまわりにつみ重なってきた古い工作者の死体を見ないでよいものでしょうか。私の言いたかったのは、次のようなことです。これまでの工作者は正の工作者にすぎなかった。私自身もいぜんとしてそうでありがちなように自己分裂の必然性をつきとめていなかった。しかしまた分裂しているようにみえて分裂すらもしていない大塚、丸山氏あたりにくらべれば、彼等はともかくも実体的に分裂していたのだ。いまやそれを認識することくらいは常識になった。実体として分裂したものはもはや類型でないからこそ、怪獣のような媒体なのだ。しかし、分裂していない負の工作者を発見し、それと抱きあうために、おそらく私たちはなおも死につづけなければならないだろう。その決意を共有した者のみがかすかに新しい会話を現在の時点で共有しうる。――とすれば、私はまだ知識人であれ大衆であれ、厳密な意味での思想と言語、すなわち伝達の現在地点における可能性を承認していないのです。知識人のサークルでも大衆のサークルでも、それぞれの孤絶した領域においてすら「会話」はいまのところ不能なのだという認識を強調しているのです。

　類型に対するあなたの楽観と見えざる実在についての私の悲観とを対比させて考えこんでいたとき、「サークル村」の創刊宣言についてのあなたの葉書が舞いこみました。およそ実用的とは言いがたい悪筆を、火鉢にかざしてあぶりだしをよむように判読しました。

「不満におもったことは、サークル内での密着した人間関係がこわされ、もっと、人と人とのあいだにすきまができないと、ぶつかりあうこともできず、創造的人間関係とはなりえないということです。古い型の村がそのままサークルにもちこまれると、かえってサークルは全人の回復をねらいながら、画一的全人をマス・プロすることになる。そこでサークルそのものの人間関係のひっくりかえしが必要だとおもいます。」
ははん、と私はうなずきます。T氏もまたブルータス殿でござったか。私も人並みに学校という安直な料理店へ、親父の金をせっせといれあげたひとりでありますが、思いだしてみると、そこで私の舌がおぼえた味はただひとつ、百年たっても「古い型の村落」です。その「ひっくりかえし」です。「人と人とのすきま」ばんざいです。なんとかかんとかいっても、明治いらいの進歩主義者たちの戦略はただこの一挙にあったわけで、そこを「ひっくりかえす」強敵があらわれたら、いたずらに不平と泣訴をくりかえす手しかなかったのも無理はありません。したがって隠遁が抵抗の一種として評価されるというようなぐあいになると、私はもうひたすらそのような知識人の世界から隠遁することを求めたものです。

なるほど、妹が看護学校に合格したけれども持ってゆく布団がないから、自分が工場をやめ、退職金でそれを作ってやったという紡績女工の話などはざらにあります。彼女はしばらくのあいだ家族から感謝されたけれども、失業保険が切れてしまったら冷たく扱われるので家をとびだし、あやしげな飲食店の女給になったのです、だがそれは彼女の筋道であって、家族にいわせればまた別な思考のルートがあるでしょう。布団については今もなお彼女に対して手厚く感謝しながら、母や兄嫁は自分たちが通ってきた経験に照らして彼女の現状をごく自然なことと考え、偶然に訪れるかもしれない未来の幸運を手放さないように願っているはずです。いったいこのような関係を密着とよぶべきか空隙とよぶべきか、つながっているかとおもえば切れ、切れているかとみればつながっている関係を古い型の村落だなどとすましこんでいるのは、どうも私には時たまわが故郷の農民たちが作るカレー粉のはいっていない「ライス・カレー」のような味がしてならないのです。

事実はこうです。古い型の村落はとうにひっくりかえっています。しかしそれは近代主義者や一部の革命家がいうように消失したのではなく、裏返されたにすぎないのです。むしろ悪しき意味での村はもっとも高度の偽装をもって、いま工場のなかにあります。そこにあるのは近代の個人主義ではなく、農民のエゴイズムです。この裏返しの動力はいうまでもなく資本です。だから工場を村と把握する眼でみる者だけが、いまや村がひとつの工場と変ったことを発見できるのです。そこでは村は裏返されるというよりも破壊されています。資本家の村に対するイメージはおそらく一種のスクラップに非常にちかいものでありましょう。大いなる屑鉄の山です。そこから彼等は工場という村を製造する。そのやり口はあなたの手紙とほとんど同じ方式ではありませんか。ばらばらにして、すきまを作って、ひっくりかえす。全一的な個性をひっくりかえす。だが屑鉄の価値はうごきません。彼等はそれで同時に工場と商品を作ります。

ことわるまでもないと思いますが、私は決して反封建――反独占といった二段階論か反独占一本槍かなどと戦略論争をやりたがっているのではありません。今日の労働者階級の先進性とみなされている、その同じ場所に私はまごうかたなき後進性を発見しますし、後進性として疑われないところに或る意味の先進性をみとめ、それをつらぬく一元的な古くして新しいものを考えるのです。ある科学者に聞くと、宇宙の空間はひたと物質がみちていて、しかも穴だらけということでした。密着と空隙が同義語であるような、そういう新しい関係を工場と村のあいだに見出しえない者たちの戦略論争……それでは私などには革命という言葉さえほとんどなんのイメージもあたえてくれないのです。

たとえば、私たちがしばしば経験する次のような事実は何を意味するのでしょう。

北九州の重工業地区にある三千名の工場には、サークルと名のつくものがありません。わずかに地域のコーラスへ通っている何人かがいるくらいです。そこから数里離れた炭鉱と農家がいりまじった村に学習サークルがうまれました。おきまりのように警察の干渉にあったり、家庭の禁圧にあったりしながら、四人だけが数年耐えぬきました。その一人に前にあげた工場の労働者がいました。彼はなぜ北九州の工場地帯にサークルが発達しないのかふしぎに思いながら、村でやっていることを職場で話しました。数人の労働者が参加しました。村のサークルはまた活潑に息を吹きかえしました。そして労働者たちは会員制でないサークルを組織だったものにしようと主張します。彼は村の感情を考慮して、ある程度のゆるやかさを保とうとします。議論の末、運営委員会だけは整備することになりました。次の段階で彼等は市街の工場地区へ進出しようとねらっています。彼等はまた職場に平和委員会を作りました。「えらく評価されましてね。」彼はにがわらいをもらします。「彼もやっとみこしをあげたかという定評なんだから、恐れいりますよ。」先進分子だけで平和委員会を作るより、四人のサークルを数年もちこたえて停滞させないことの方が百倍もむずかしい。それがあればこそ平和委員会もできるのだ、という平凡な道理が通らないうちは、日本の民主主義は果樹園を育てる百姓の保守性にかなわないのです。そして地域から職場へ、村から町へ――一見公式と逆さまにみえようとも、労働者のイニシアティヴはそのときにこそ生きているのです。

密着しようとすることがすきまを発見する唯一の道です。どうやらぶつかることのできるくらいの距離にすら人間同士はまだ存在していないと考えないで何をいったい組織するのです。そのような姿勢でうまれた組織によって何をつくるのです。こわして、すきまをつくるのではなくて、すきまはすでにあるのです。発見することが大切なのです。いや、すきまといってよいかどうかもわからないほどの天体と天体との距離にひとしいもの――それが退職金で妹に布団を買ってやった紡績女工とその家族との関係です。密着し、密着し、さらに密着しようとつとめてはじめて、天体間の距離がすきまにまで縮まるのではありませんか。そのためには、古い型の村をハシでつまんでちょいと捨てるといったテーブル・マナをいくら伺ってもどうにもならないのです。布団がなければせっかく合格した妹を、学校へゆかせられないことを家からの便りで知ったとき、この若い女性がとった態度は根っからまちがっていたでしょうか。むしろ彼女はT氏に瓜二つという気がしないでもありません。彼女の行為をひとつの型という概念で分類しようとする者こそ、自分のなかの彼女を、いや、彼女のなかの自分を軽蔑する結果にしかなりますまい。もちろん行為の型として、方法として見るとき、それは誤っています。しかし問題はその誤りの前にあるものなのです。

彼女を動かしたものは何であるか。社会拘束か、感傷か、習性か、英雄主義か。そのすべてであり、そのいずれでもないでしょう。いわば一匹の蟬が触角も翅もあげて鳴動するように、彼女は妹の事実のまえで震えたのです。ただそれだけです。計画もなければ希望もなく、したがって失意の情もないままに。炭鉱で「あいつ、ちかごろ歌ってやがる」といえば、すこし頭がおかしくなって夢のようなことを口走っているという意味です。「きのう十ワク舞うたぜ」といえば、坑木が地圧を支えきれず、ワクが十組ほどずれて倒れかけたというわけです。彼女もまたこのようにみずからあまんじて歌いかつ舞ったという次第ではありますまいか。現在の労働者階級の欠陥という問題に私がうまく答えられるはずもありませんが、すくなくとも私の眼にうつる最大の空しさは、労働者階級がすべてを全身で要求していない、すなわち歌ってもいなければ舞ってもいないということです。だから彼女のように誤りにみちた方法で震える一匹に対して、これを真に攻撃する者がいない、つまり組織する者がいないのです。この責任の一半は私と同じくあなたにもあることをお忘れなく。

私はあなたと古い型の村に関する政治経済的な認識を争おうとは思いません。しかし、あなたたち、つまり日本の進歩的な学者たちがあいもかわらず集団恐怖症、カリスマ・ノイローゼに終始していらっしゃるのを見ると、なんと見事な農民であるかと感歎するばかりです。そういう風にいえば、おまえはそんなに村ごのみであるほど非農民なのかという反問が返ってくるでしょう。さよう、私は村のなかの非農民です。そして村のそとでは農民です。村でない村といっしょに、村をひっくりかえそうとする者です。集団主義者です。

最後的に必要なのは区分の論理ではなく、統一の論理です。むろんそれは一本の直線にひとしい今日の組織論によってではありません。現代がうたがいもなく組織人の時代であるというなかみを、組織人の非組織性と非組織人の組織性との葛藤としてとらえることです。それを自分の内側に発見するだけでなく、自分のなかに侵入した他人の偶然性をみつめることで、自己の発展を規定している諸条件を破壊してゆかねばなりますまい。それは自分の生成史の座標にかかわっているのです。ここであなたは統一することと、自分の座標を無前提的に抹消することとを混同してはいませんか。そこでは話がばかに力学的に進められているようにみえて、その実エネルギーは不在になるという現象が起りはしませんか。それこそ今日の典型的な画一主義のひとつではありますまいか。

たとえば百姓一揆というものがあります。私はその歴史を読むたびにふしぎな気持がするのですが、たいていの本では農民が絶望に駆られて衝動的に立ちあがったとでも解釈するほかはない記述にみちています。いまのストライキからすぐ類推することはできなくても、いや、それを深部へ追求してゆけばかならず、そこには私などとくらべようもない腰のきまった工作者たちが何人かいたにちがいないと思われる節があります。そして彼等のなかにどのような楽天性もふくまれていなかったなどと考える者はおよそ血みどろの闘争がどんなものであるかを知らない隠者にすぎないのです。農民たちの意図と計算がどのようなものだったか、決死の闘いを通じて頭をのぞかせてくる、ぎりぎりの思想はどんなものであったか、それを私は知りたいと思います。

ところが歴史家たちはまるで彼等が世界観などには縁のない首なし動物であるかのように扱うのです。それが彼等の冷静な唯物史観の正体です。私は苦笑いをおさえつけて頁をめくります。もしこの筆者に一揆を指導させたら、いったいどうなることでしょう。そういう奇妙に肉体的な読書をするのが私の癖です。私の嗅覚は、そのエネルギーが「古い型の村落」の底にかくれていた全一的なものであったにちがいないと断定します。外なる上部の権力がこれを破壊するほどの高圧に達したとき、ふと彼等は自己の内なる村の尊厳に気づいたのではありますまいか。飢餓に苦しみつづける彼等の心に火をつけたのは、いわば村のユートピアとでもいうべきまぼろしではなかったでしょうか。いうまでもなく、そこからは現代のファシズムをはじめもろもろの蛇やなめくじが発生する幅をもった地帯です。けれども、そこを単純に類型化し、一気に捨象してしまうならば、はたしてどのような民族固有の前プロレタリア的思想がありえましょうか。

ここをぴしりと定めなければ、丸山真男氏のように「理論信仰」と「実感信仰」の二つの大洋を同時に漂流し、両者が「裏はらの形で共通して刻印されている日本の〈近代〉の認識論的特質」であることを暗示しつつ、ついにそれは認識論に終って世界観へは到達しないのです。「それが社会科学者と文学者とによってともに自覚されるとき、そのときはじめて、両者に共通の場がひらける」といった悲しいエリートのサークル論。それでたしかに共通の場が生まれもしましょう。けれどもこいつには座標がありませんからね。どこまでいっても磁石の北をもたない羅針盤です。

　このようにして私の工作者はあなたがたが区分するところで統一し、あなたがたが統一するところで区分します。つまりそれは論理で語ることのできないものを語ろうと決意し、ついには新しい論理を切り開く人間です。だから私は工作者というひとつの特殊地帯を設定することにあくまで反対するために、この言葉をもちだしたのです。それが今日いかに奇妙な谷間に窒息せしめられていようとも、私はまずあなたをそこに引きずりこもうとすることで普遍性を獲得しようとかかります。お見受けしたところ、あなたには工作者の制服など似あいそうにもないという意味で、なかなかの適格者でいらっしゃる……。

（一九五九年一月　「思想の科学」創刊号）

観測者と工作者

工作者という言葉に私はなにか奇妙な定義をあたえた人間として通用しはじめております。ところで私自身は、私の定義が普遍的に正しいかどうかというような設問にあまり興味をもたないのです。変だといえば、まさにその通り。人々が私の提出したイデアについて考えることを欲していながら、それが普遍的な立場で語られることは嫌悪しているわけです。――先夜、鶴見俊輔に出会ったら、まんまるい、なやましげな眼でみつめながら、「君の散文はまるきりデフォルメにつぐデフォルメだ。もっとストレートに書けないか。ひとの発言にからまないとしゃべれないのもどうかと思う」というのです。蓮根に穴があいていなくても、食べるのには困らないじゃないか。彼のごとき無類の料理人にしてなおかつこれです。ところで鶴見さん、「からむな」というあなたにからんでみても、どっちみち私に快感が残るわけではないが、普遍的な姿勢ではまったくさわることのできない場所の方がこの世ではずっと広いのじゃありますまいか。魂というのは勝手なものです。人知れず曲りくねったり、節を作ったり……それをつまみだすことはあなたにおとらず私も大好きだ。悪い趣味です。しかし、それがストレートな手口でうまくゆくとは思えません。いや、私のようにいえば、すべての学問が否定されないともかぎらない。あきらかにそれは私の偏向です。偏向であってもかまわないじゃないか。私は私の立場から、私は世界の中心であり、唯一つの太陽であり、二人といない王様だと主張してみよう。すると向うにまた別な中心と太陽と王様があらわれるにちがいない。こうして世界は複数になるのだ――と考えるよりほかに、戦いがまるで発見できないかわいそうな男というものが存在するのです。……そんなことを口の裏でつぶやきながら、私は答えました。「そういう芝居ができるくらいなら、学者の王様ぐらいにはすぐなれたんだがなあ」

いうまでもなく私は日本の知識人の裏がえし、ある意味では単純な、機械的な反対物なのです。中学二年坊主のとき、私はすべての学習をやめてしまおうと考えたことがあります。数学も英語も国文学も、教室で講ぜられているものはすべて容易だ。その彼方に難関があるとしても、このたやすい道の果てにあるもの、そういう種類の難しさが自分にとって何であろう。私が求めているものは、はじめからしまいまで困難にみちみちている結晶よりほかにない。たとえば砂漠の吹きだまりにふとみられる紋様の意味を解こうとして生涯たちつくしておられたら……完成とはそういうものではないか、直達しようとする者だけが感じるあの抵抗ではないか――こういう願望を実現する手だても分らないままに、博物館の小僧にでもなれたらと空想していたのです。この計画は口に出したとたんに浅薄になるところがあって、たちまち私は放棄してしまいましたけれども、この汎神論の匂いのする偏向をどのように転がしてゆくかが、その後の私の戦いとなったのです。

私は或る力学のなかへすこしずつ道をふみこみました。それによって気質のもつ静的な決定論を破らねばならなかった。それとともに私は自分の気質の生きていく方向、その通路を一箇所だけあけておいた。というよりもそのもののなかに存在する力学を殺せるはずもなかったのです。私は学問のもつ積みかさね方式——ストレートな、散文的態度をどこまでも軽蔑するために、学校へ通いつづけたのです。そんな学生があんがいたくさんいるのではないでしょうか。彼にとっては、学問を獲得しないこと、学問と戦い、それを破壊することが学習の目的なのです。しかし現在のアカデミズムはその立場を容認しないことでみずから閉鎖されています。その閉鎖の質は普通にいわれるような学問の政策的な側面にあるというよりは、散文が詩に向って関係を断とうとする衝動に近いものです。

もちろん詩が散文に対して断絶しようとする力を同時に指摘しないわけにはいきません。私の戦いはもっぱらそこに集められてきました。だが一般的にいえば、知識は散文であります。そしてこの知識は散文のオートマティズムによって自分を運搬します。その網の目からこぼれたものをだれが拾うのかというような問題意識で私は自分の立場を設定しているのではありません。私は散文との断絶を解放しようとする。しかし、それは決して成功しないでしょう。成功しないと覚悟することが私の散文的出発です。とすれば私に散文との距離をゼロにせよと要求するのではなくて、このような出発点からひろがる私の散文的世界を散文として容認する用意があるかどうか、そこをはっきりしてもらいたいのです。

「民話」というものの本質も、私はこの地点から離れて考えることはできません。民話についての機能的な解釈がひろがりすぎた結果、それがなによりもまず或る異なった質をもつ散文であることが忘れられています。いわば詩でもなければ散文でもない、それと同時にその両方でありうる第三の……というような表現ではどこまでも折衷主義と縁が切れないわけです。その道順は偏向を帯びて明確にする方がいい。それは詩から出発して散文を否定し、否定するために散文の方へみずからを近づけ、接近することによって詩を否定し、詩を否定することでその否定の限界を知りつくす、そのときにはじめて生まれてくる散文なのです。形式において散文であり、内容において詩であるものが誕生する道筋はこのように一定しているのではありますまいか。そうだとすれば、民話を詩の匂いへ接近させるというような気分的なあそびはまったく無意味です。民話とは、民衆の口語として存在する散文詩のことだと私は考えています。また聞きですが、ある学生が九州の山奥で道をたずねたら、これこれのものを目じるしに歩いてゆくと「傘をさして踊って歩けるような（広い）道」に出るからそれをゆきなさいと教えられて、すっかり感動したということです。このばあい、詩として成立しているのはただの一句にすぎません。まわりに不純な表現が不可視の結晶となってとりかこんでいます。そのなかに、ただ一箇の水晶がみえます。いわば泥つきの詩だけれども、それをある心象の装置によってとらえるならば、私たちは全世界を微細な結晶の連続としてとらえる鉱物的な眼をもつことができます。

それはたやすく可視的なものとして与えられているものではありません。従来の民話は「傘をさして踊って歩けるような道」という断片すら処理できない人たちによって「研究」されてきました。まして、この可視的な結晶を手がかりに、そのいささか装飾くさい表現のまわりに不純物としてこびりついている鉱滓のもつ微視的な構造をどうすることもできなかったのは当然です。あえていえば、これまでの民話研究は必要なものをすべて棄てているともいえるのではないでしょうか。すくなくとも民話が表現上の決定的な難関を一回だけくぐりぬけてきた産物であることがあまりにも手軽に考えられ、単に顕在化した効用と機能の面に集中されている気がするのはなぜでしょうか。

民話研究は詩の問題に帰る必要があるというのが私の意見です。それは民話の発生に帰ることです。そして顕在する民話はすでになかば以上民話ではないという地点を熟視すべきでありましょう。顕在する民話あるいはその断片はうたがいもなく、学問を獲得せず、学問と戦い、学問を破壊しようとつとめてきた人間の眼……いわば意識せずして反アカデミックな立場に置かれている知性の秩序をすでに一度経過しています。知識にこびりつく者も、知識に無縁である者もともに何物も作ることはできない。知識を解体させる力をもった者だけが不幸にして、かつ光栄にも創造するのです。ではかかる創造者の悲惨と滑稽を知りつくしながら、砂漠のごとき人間世界に立ち向う力学とは何であるか。いうまでもなく、今日まで民話を顕在させてきた無意識の力を意識的にわが身に賦活することです。それこそ方法の名に値いするものであり、おそらく従来の一切の科学研究には全力をあげて反逆するもの、非科学ではなくて反科学ともいうべき知的領域の存在に関るものでありましょう。

私が工作者といったとき、私はこのような自分の偏向をまとめてぶちこんだのです。知識の散文的なオートマティズムを解体し、その下降するエネルギー（それは逆方向に結晶しようとする知性ですが）を大衆の沈黙の領域へさしむける、それよりほかに自己の存在証明を発見できない人間の絶望と最後の賭けがそこにあります。したがって私は自分の秩序を読む人々の一人一人にぶっつけているものであり。私の秩序が動かしがたい普遍性とみるものを語っているのであり、私の秩序から離れた普遍的事実というものはまるきり信用しない立場を説明しているのです。むろん、私の秩序に無縁な場所があることは私とても客観的に科学的に認めています。しかし、無縁なものはあくまでも無縁だと断ちきるとき、すなわち意識的な絶縁を試みるとき、はじめて彼方の世界が私を積極的に攻撃し、私との関係を形づくるのではありますまいか。

知識を詩で表現するとでもいわねばならないような馬鹿げた努力をこれ以上説明することはやめにします。私は詩の方法を帝国主義的に拡張しようとしているのではなくて、むしろ日本の現代詩にとって残された唯一つの細い通路を摸索しているのですから。そしておそらく日本の学問も詩によって嗅ぎだされる関門を通るよりほかないのです。鶴見俊輔や日高六郎を私が尊敬しているのは、彼等が究極のところそこを進まざるをえないと予知しているからです。いや、果してそうか。単なる予感に震えているだけではあるまいかという疑いがないでもありません。けれども彼等が知識の散文的オートマティズムに対する懐疑と反撥を——散文の道を通して表現していることにまちがいはなく、そしてこれがあの凝縮された大衆の沈黙へ接近する最初の関門であるとみなすこともできましょう。私の方からいえば、彼等が徒労ともおもわれる曲折をていねいになぞっている根気よさを苦々しく思いながら、彼等をぬきにしては日本の学問が一種の運動形態をとり、それによって解体に値いする領域にたどりつくことはないと予見して、ひたすら彼等が工作者の敵となる日を待っているのです。

顕在するものを解体し、潜在するものを結晶化しなければならない創造者の運命は一にかかって真の対立者を自己の内部に発見できるかどうかに左右されます。私が鶴見や日高に抱く懐疑は、私の半身にそれが刻印されているかぎり生産的な相互関係をとり結ぶことをいささかも排撃するものではありません。おもうに統一戦線という政治的な発想からうまれたある種の人間関係のイデーは、今世紀の前半に存在を証明しえた「同志」の理念からさらに一歩進めて、二十世紀後半における人間関係の最高形態——おそらくは階級社会における最後のとりでをうち破る鉄槌——としてはたらくものでありましょう。そしてこの二つの軸をもった人間関係、味方にして敵である関係の同時成立がもたらす生産性は、まだほとんど全き姿で理解されておりません。もしこのことに私が確信をもちえなかったならば、およそ運動と名のつくすべてのものに積極さを示すことはなかったにちがいありません。したがって、思想の統一戦線は、同志という確定された単一綱領のもとにおける関係よりもはるかにダイナミックに相互の意識と存在の間に横たわる誤差をとらえる形式であり、それゆえに同志が許さないものを許すのが統一戦線だといってもかまわないような水ましされた連帯感とまるで反対に、同志が許すものを許さない関係として発展し、それによってより高いひびきをもつ同志の関係を創造することにあります。

そして今日、大衆論・組織論とよばれるものの本質はその実知識論または知識人論であるということは忘れられてはなりますまい。私がいたずらに知識人向けの放送をしているだけで、工作者の主要な対象である大衆の沈黙へ直接に語りかけていないと責める声もいくらかあります。そうです。これまで私が書いた文字はすべて知識人の壁にぶっつけて大衆の側へはね返らせる玉撞きの原理に立つものです。そのことに苦しまない思想はもはや統一戦線の対象ではありません。しかし知識が解体し、下降するエネルギーを用いずには今日顕在する民話の断片すら姿をあらわさなかったのだということはくりかえし噛みしめてみる必要があります。私は、「原点が存在する」といいました。だがそれは決して顕在することのないものです。顕在しないものを存在として認める力、それはいうまでもなく計画された認識の機構を必要とします。この機構を形成するために私たちはまず知識をとかするつぼを作らなくてはなりません。そのような意味での知識論がなければならないのです。

要約すれば次のようになります。大衆論・組織論が生産的であるためにはいくつかの前提条件があります。その第一は——知識というものはそもそも思想それ自身ではなく、思想のパターンなのですから、知識即思想という手品をやらないことです。その第二は——味方にして敵であるという二つの軸をもった人間関係を創造することです。その第三は——このような認識の機構を形成しなければならない知識人の責任体制をうちたてることです。すくなくともこれだけの原則は思想上の統一戦線にとって不可欠でありましょう。

しかしながら、このような原則をいくらあげてみても、この原則と知識人という存在との間にはかならず間隙があり、この間隙に対する大衆の不信はむしろ知識人の登録商標ということさえできます。もっとはっきりいえば、知識人とはうそつきのことです。なぜなら大衆がなにか自分の胸のうちで結晶しつつあるものを実現しようとするとき、彼は水呑百姓のように隣家からウスとキネを借りてきてもちをつかねばなりません。ところが彼の潔癖さからすれば、どうしても彼はこれは自分でついたもちだと主張できないものがある。たとえウスとキネの借り賃にそこばくのもちを届けたとしても、もちの質そのもののなかに自分の力でないものがはいりこんでいるという感じはぬぐい去ることができないのです。だから彼は自分でついたもちとして言葉を口に出すとき、いいようのない砂を感じます。自分がうそつきではないにしても、正直正兵衛でないことをいらだたしく思う。ところが知識人の言葉たるや、あきれるほどの乱婚状態になっていて、ウスとキネはおろか、もちそのものがあちらこちらの家から失敬して寄せあつめたものらしいことがどことなくぼんやりと水呑百姓の眼にも映ります。それもそのはず、およそ一人の人間が十年ほどかかっても製造できるかどうかと思うような観念やその公式が一分間に何十と飛びだすのですから。けれどもこの水呑百姓は大事なところで誤っています。というのは、彼は表現の手段を借りてくること、自分の製作物のなかに他人の力がはいりこむのを不快に思い、その不快さを根底にして借りることそのものを不正と考えるにいたるのですが、このような態度には思想をあくまで個人の占有と結びつけて理解しようとする、かたくなさがあるからです。

彼をそのようにさせた責任の大部分はこれまでの知識人にあるのです。古代の律令類のなかで、貨幣の使い道を知らなかった民衆に国家が躍起となってそれを教えこもうと苦心している跡が残っているように、思想がもともと無署名のものであり、たとえそこに個人のサインが施されていてもそれはある種の勢力と傾向の代表単数にひとしい事実を忘れて、いや、故意に抹殺して、いかにも思想が一から十まで独自でありうるかのような錯覚をばらまいてきたのはだれの罪でしょうか。知識人はそうすることで超過利潤を得たかもしれないが、民衆の側はそれによって永遠に思想表現の世界から切り離され、いうも愚かな狭い私有に封じこめられる呪いを受けたのです。したがって大衆を思想は私有されるものだという呪縛から解放することが私たちの思想運動の目的であり、きっぱりと思想の無署名性の側へ賭ける態度は必然的に運動をうみだすということができます。

では大衆論・組織論とその筆者と運動との関係はどうなるでしょう。第一に自分の位置に対する筆者の認識という問題があります。大衆論・組織論にとりくむ者がまず状況の観測者でなければばならないことは当然です。ところで臆面もなく無知をひけらかすわけですが、ニュートン力学の「古典性」は観測者自身が運動する物体として、運動のなかに投げ入れられているがゆえに、観測そのものが持たざるをえない相互規定性を捨象してしまったところにあるのでしょう。この点で知識の散文的オートマティズムにともなうある冷たさは、その極限のところで一種の熱っぽさを示してきます。それは自分自身の主観性そのものを計算のなかに組み入れざるをえないのです。観測する行為は一面において冷たく見る行為でありながら、観測しようとする決意を充分にはらんでいる点で熱せられています。したがって、彼は単に客観的な運動のなかの一粒子であるだけでなくみずからの決意によってかすかにそれ自身の運動を開始しているのです。見るという行為が見る前の自分をすでに変化させてしまう事実をどのように計算するか——このことをぬきにすれば、観測者は観測者でなくなります。つまり観測者を「静止した眼」として考える古典的な観念……それはアカデミズムの特徴ですが……によれば観測者はついに観測者でなくなる地点に半歩だけふみこむ「犯罪」をおかさねばならないわけです。

だが観測者がこのような内部のカメラでなければならないという主張はもはや常識です。鶴見や日高も運動との距離ゼロの地点にカメラをすえつづけてきたのは周知の事実です。そして彼等は観測という運動の主体性に賭けているようにみえます。またそのためにこそ、観測という行為を厳密に制限しなければならない。——なぜなら観測とは論理の尽きるところを「見る」ことによって突破し、そこで新しい論理を生もうとする不条理な行為でありますから、その底にはあくなき好奇心が埋蔵されています。すくなくともそのように仮定されています。だからもしこの好奇心がほんのすこしでも制限されるならば、無限の好奇心という想定の上に成り立つ観測の主体性、百パーセントの主体性は崩れてしまいます。そこであくなき好奇心という出発点に帰ろうとすると、今度は半歩ふみこんだ観測者としての彼等はそのまま対象の内側にのめりこんでゆく衝動、ミイラとりがミイラになる危険に直面します。——この矛盾律、このシーソーゲームが彼等の気に入っているのです。彼等もまた悪漢です。快楽派です。しかし彼等は私とちがって倫理のあそびをやっているのだ。彼等は知識人の論理の直線的な延長の上を歩き、そのはしっこで、倫理の深淵を見下しながら渡河作戦に熱中しています。その下を浮き沈みしている流木の群に対して彼等の心は痛んでいます。しかし……

『民話』三、四月号に連載された日高のエッセイは、この間の事情をみごとに反映している点でも注目すべき評論です。私はあれを自分自身の意見としてそっくり肯定してもよいくらいです。ただし或る一点、すなわち状況に対する責任の全面性が欠けている、どこか一箇所刃こぼれがしている点で不満をおぼえるほかは……。彼に戦後における知識人と大衆の「失敗の交渉史」を分析し、啓蒙主義と大衆崇拝主義を批判し、その立場から「区分の論理」と「密着の論理」をとりだし、彼自身を「農本主義的はたらきもの」と規定します。あれでもないこれでもない第三の論理をみつけたいとか、自分の弱味のためにはさまれるとか色々白っぱくれていますけれども、彼自身の立場は必要な限度ではっきりさせられています。彼は農村の前近代的な気分に照応した未分化のサークルが密着の論理を固執するとき、出発することはできるが一定の距離に達すると停滞する事実を指摘します。たしかにそれはその通りです。おまえ自身はいったい何者なのかと問いつめ、そのあいまいさをいくら攻撃しても、あっけらかんとしているのがこの種のサークルの現状であり、それゆえにどこまでも責めつづけることが知識人の任務でもあります。しかし彼は果して全力をあげて自分の爪を割りながら、相手の内部へ侵入しているでしょうか。もしそうであるなら、彼のごとき眼に次のような風景が映らないはずはないのです。すなわち大衆が未分化の領域に安住しているようにみえるとき、それはかならずしも知識人の安定や隠棲とおなじではなく、むしろ手軽に分化してしまえば自分たちの力が分散され、包囲されて潰滅する危機感があるからなのです。いや、そのように単純に目的意識から説明してしまえばかえって未分化というような知識人の断定を裏返すだけのことに終りますが、いずれにせよ大衆自身に分化を欲しない理由があることはまちがいないのです。このような状況を下から、内からとらえる方法はどうしたらよいのか。そこに身もだえすることなく事態を観照したばあい、かならず観測者のダイナミックスが失なわれます。その原因を倫理的に求めるとすれば、彼は責任の分業主義に陥っているのです。ここまでは観測者の責任、これからは運動者の責任という分担のしかたはなるほどその両者から離れた位置でならば論じてもよいでしょう。だがそのような絶対的基準によりかからず、全面的な責任と機能分担を統一するときにこそサークルは有機的な集団になるのです。だとしたら、このようなサークルを内面的に観測するためには、彼自身で味わってみるよりほかのないある物がそこに無気味に光っているのを彼、日高六郎はどうしようというのでしょうか。

　私を「工作者」にした人間をただ一人だけあげよといわれれば、私はちょうちゅすることなく日高六郎と答えます。彼は私の意見なるものを全国にばらまき、私に恥じらいと怒りを感じさせました。私が自己運動の必要から作っていた手製の定式をとりあげ、その実用新案を登録してくれました。私はひそかに気ままに増殖していました。それを一挙にイースト菌のように各地に送りつけてしまった。もはや私は日に日に狭まりゆく個人世界を呪いと歓喜の念をもってみつめながら、彼に復讐するよりほかはありません。私は彼を逆工作することを決意しました。私のまわりに新しい工作者の群を作り彼等から逆工作されるそのエネルギーをたたきつけてゆこうとしています。私の発言の裏には、私から「工作」され、それゆえに私にうらみをふくんでいる男たち、女たちのなまぐさい息があるのです。人間は分化を欲しないものかもしれない。砂漠の風紋にすぎないのかもしれない。しかし分化を迫られるのです。未分化とはサークルの一種の処女性のことです。処女は子供を生まない。あたりまえじゃありませんか。日高さん、そんなことをいいながら、あなたは私を「工作」したのだ。この事実は忘れない方が身のためです。人間は観測ばかりしておれるものではありません。やむをえず生むのが人間です。

　大衆の沈黙のなかに感覚の五反百姓——小生産者、小所有者の意識がひそんでいることは以前にも書きました。だがそれを削り落しても未分化の問題は残ります。この小宇宙のなかには幾百の太陽系すら存在するのです。それを未分化というような大ざっぱな規定で通りすごしてしまうから、突破口がみつからないのです。観測者と大衆をつなぐ媒介項はどこにあるのか。それは観測者自身の内部にあります。見るという行為が見る前の自分を変化させてしまう事実のなかにあります。またぞろ耳学問で恐縮ですが、私は電子顕微鏡というような装置が発展してゆけば、いつかは素粒子まで肉眼でとらえられる時代がくるとうかつにも楽観していたのでした。ところが人間の眼が見るためには対象に光線があたって反射しなければならず、光は素粒子の束だから光が一箇の素粒子にぶっつかると、たちまちそれに押し流されて素粒子は見えなくなる。いまのところ素粒子を実視する方法は理論的に不可能だと証明されるということでした。乾板に感光した飛跡をとらえるよりほかに見ることのできない物質が存在するという事実は私にある連想をよび起します。

巨視的にいえば祖国をもたないインターナショナルな階級としてその組織運動のあとをたやすく追跡することのできる労働者は、微視的には断つべき鎖のほかは何物も所有しない人間です。したがって私たちは労働者という存在の理想像、いわばひとりの「純粋」プロレタリアートとでもいうべきものをこの原則によって抽象することができるはずです。そして所有の観念から完全に解放されている精神と現代の状況を対置しようとするとき、人間精神のもっとも微小な単位としての無償の共有欲は果して肉眼的にとらえうるものかどうか。それは素粒子とおなじく、存在するけれども見えないものではなかろうか。このように考えるとき、はじめて私の心のなかを静かに戦慄が走っていきます。

労働者はみずからを見ようとすると、観測者が観測者でなくなったように、もはや労働者でなくなるという現象が起る。大衆論・組織論といい、それらはすべて今日の労働者階級の思想的、創造的不生産性を根底におき、その変化をめざしているのはあきらかです。だが以上の仮定が正しいとすれば、純粋プロレタリアートもまた観測者たる知識人と同じ矛盾律のなかに立ちつくす運命にあります。事実、このような観念の角度から見てゆくと、今日さまざまに論議されている問題の顔が突然に浮びあがって一つの体系に整序される心地がします。プロレタリア文学の最終的錯誤は、労働者のイメージを肉眼的にとらえうると前提しているところにあるのではないか。現代の民話を描こうとする衝動もまたこの錯覚の所産ではあるまいか。

そのように考えつつ、私は観測者と労働者が方向を異にした同じ矛盾の前に立たされている事実を注視します。そこで二つの世界はようやく同じ形式の通路を向きあわせています。この不毛の命題からのびている管を接合するなら……。それは藤田省三がいうように鼻もちならぬ、卑怯な、俗流の道かもしれません。そんなことは私にとってどうでもよいのです。それ以外に生きる道がないとき、小便であろうとも飲みほすのが人間のつとめです。そしてここまでの道順を曲りなりにもたどることのできる人間は、凡百の知識人よりもはるかに知識人であり、世の労働者よりもすぐれて労働者であることはうたがいをいれません。それはなかなかたやすく流行するはずはありませんが、究極のところ一つの傾向となるでしょう。だが、認識の誤差を予定しないような大衆論・組織論がどれほどこっけいなものであるかは改めていうまでもありません。いわばこの誤差をどのように扱うかによってこの種の理論の現代的性格が決定されるともいえます。大衆論・組織論はこの意味でさけがたく傾向の論理です。それは状況認識にさいしての絶滅しがたい偶然性と論理のオートマティズムとを抱えこんでいるからです。革命後あまり長くたたないころのソ連共産党中央委員会の決議だったと思いますが、「われわれは傾向性を恐れない」という一句があります。傾向にもたれかかるのでもなければ、忌避するのでもない、風さえあれば自在な方向に飛んでみせようといった若い党のはつらつたる決意を私はそこに読みます。

観測者であり、かつ労働者である存在と、労働者であり、かつ観測者である存在の間には微妙な緊張関係ができてくるのは当然です。私はいまその戦いをたたかっています。この相互戦闘の範疇にはいる人々を私は工作者と呼んだのです。ある老練な左翼文学者があの言葉をかつての文化工作隊などと混同して首をひねっているという話を聞いて、思わず私は笑いだしました。人間関係の定式そのものも刻一刻古びて、ひまなものに移ってゆきます。私たちはこのような老同志を充分に説得するような時間をもっていないのを残念に思います。生きながら現代の民話と化す、その光栄に脱帽する点では文字通り人後に落ちるものではありませんが、惜しいかな私は帽子をかぶっていないのです。

（一九五九年六月「民話」）

伝達の可能性と統一戦線

日高六郎への手紙

最初にあなたへ向けて便りを書いたのはいつだったろう。私は二十歳になっていなかった。たぶん刺青のような海の色を土人の叫び声に翻訳したりして見せて、あなたを脅迫しようとしたのだ。そのあと研究室で顔をあわせたとき、あなたは「ふふん」とまやかし笑いをしたものだ。「争えないね。手紙くらい気質がむきだしになるものはないという事実は。……君の形容詞のことだよ」。おぼえているくらいだから、ちょっぴり無念だったのだろう。「どうせあなたなんかには、形容詞といえばヴァイオリンの音ぐらいしかきこえないんだ」。ところがあなたは近年になって、兵営から送った私の葉書をサカナに警世の文章を公表したりしたらしい。いずれその葉書も形容詞の罐詰であったにちがいないのだから、あなたの転向ぶりもなかなかあざやかなものではある。海軍の嘱託に徴発されたあなたが民主革命の諸要求をならべたて、この方式で戦争を解決せよと進言、めでたく嘱託を免ぜられた当時にくらべると、どうも三十度くらいの傾斜はうたがえない気がする。あのころのあなたときたら、いつも口のまわりにアンコをくっつけたみたいな薄笑いをうかべて私をなだめたり、冷やかしたりしたものだが、この年のちがった奇妙な友情（！）の原因は二人がともに救いがたい快楽派であり、少々野草の匂いのするペテン師でもあることだった。つまるところ私はただ一箇の動詞を伏せておくために形容詞を塗りたくり、あなたはカス札を乱発しながらふとジョーカーを出して逆さまに人目をくらましてきたのだ。以来われわれの運命はこのふわりとした蜘蛛の糸をのこしたまま成長し、あなたのカス札は東大助教授の名刺と化し、私の形容詞はかぞえるのもめんどうなくらい分裂して最近とうとう工作者という伝法な単語にみずから統一する羽目に陥った。いわばあなたはついにジョーカーを出さずじまい、私は動詞の出しっぱなし。ようやくにしてめざすデカダンスの世界にふみいったのかもしれない。

だが残念ながらスリルの不足を歎くよりほかにデカダンスの種がない世の中はこわいもので、いかさまのからくりを整備すればするほど意識の下方ではすくなからず血圧がさがっていく。この兆徴はいささか不吉だ。マルキシストとは、マルキシズムと内在的に日常的に行動的に対決し、それをその地点から越えようとする人間のことだから、マルキシズムそのものが最大限に自己超越的である以上、かかるマルキシストでありつづけるよりほかに出口はない。そのほかの脱出路は対決から、思想の衝撃から引き返すことでしかない。とすれば意識の底でたえず進行しかねない血圧降下の症状をぬきにした転向論などはありえない。それはある文書にペンをとって署名したかどうかという筋肉運動の問題に近づく。その意味では転向はイデオロギーの方向転換ではなく、単純な全面敗北にすぎぬ。思想の領域からの逸脱現象にすぎぬ。意識の上での転向はマルキシズムに関するかぎり、思想的主題としては成立不能なのだ。問題は意識の下層における緊張の喪失、いわば非転向のなかのそれと気づかぬ転向……そこにこそ現在の危機がある。それとあなたの三十度の傾斜はまったく対応しているのではあるまいか。あなたが私の形容詞をせせら笑ったときのポーカー・フェイスがいまごろなつかしいようではお互いに困るというものだ。

だが信条と存在の誤差を笑うことも無視することもたやすいわざだ。日本の文明のもっとも奇怪な一点はこの誤差の内側に住まわないかぎり現実への肉体的な感触がなくなるということにある。そして一箇の集団に帰属することの意味はさしあたり観客になるための切符を手に入れたにすぎず、しかも責任の主体を白紙委任することである。このふんいきはすべての先進的組織に流れこみ、各部に向っては身内としての糸につながれ、内部に対してはみずから準禁治産者の状態に甘んじる、責任の二重構造がはるかな奥へどこまでもつづいている。そこでもっと内側へ跳躍しようとする官僚主義、その地点に巣を構えて安住する俗物性、つきることのない壁を前にしての悲歌、居直り強盗めく賢者趣味がわれわれのムードのすべてというわけだ。では核の中心から何が見えるのか。そこから見れば壁などありはしない。視力をさえぎるものがないので何も見えない。世界は無限に自己の延長であり、一路平坦、のっぺらぼうの四海同胞なのだ。責任のとりようがないという意味では天皇の心理も分らないことはないくらい無責任な存在がいわゆる責任者であり、彼の位置からすればすべての対立者は存在しないはずの幻しとして映る。——この状況のもとでは不断に非転向のワクのなかでの転向が起りうる。そしてもしかかる部落の一つを味わえば、他の集団もことごとく類推できる。比喩の限界内ですべての状況は一箇の広場に集まってしまう。しかも類推以上のものを許さない内部事実の処女性はそれぞれ無限に保たれていく。

私が追いつめられるまでは現実と関りをもちたくないのにくらべて、あなたはすこし多すぎる好奇心の持主だが、ここへくると事情は逆転し、私ならば財布のゆるすかぎり買ってしまう入場券を、あなたは買えないのだ。おそらく、とっておきの札は一枚以上はいらないという、あなたの紳士ぶりが災いするのにちがいない。けれどもあなたがもともとジョーカーなんか持ってやしないのは、私がよく承知している事実であって、そんなにしんぼう強くにこにこして待っているくらいなら、いかさまトランプへの純情もいい加減になさいと忠告したい時がないではなかった。だがあなたがロータリー・クラブなみの特殊部落に祭りこまれてしまった今となっては、せめて一人前の奇術師くらいにはなってもらいたい気がしはじめたから妙なものだ。というのも、意識の下部構造が貧血しきっているのに、統一戦線だなどとデラックスな夢がもちだされる気配を感じると、あなたのようなアマチュア生活者を相手に種明しをしたがるのが私の悪い癖らしい。あなたからさんざんサカナにされてきたお礼の意味も、愚連隊の仁義くらいにはふくまれているしだい。いたしかたもないことだ。あなたは香具師を見限って、手品ばかりやっているのだから。

そういえば敬愛する愚連隊くずれの諸君、『思想の科学』同人が先日集まって、私の渡世の原理の一つを品評したうわさが風の便りで届けられた。それによると、「知識人には大衆の言葉で、大衆には知識人の言葉で」という私のスローガンに対して、「知識人には知識人の言葉で、大衆には大衆の言葉で」とやった堅物がいるらしい。そこがやはり香具師と手品師の貫禄のちがいであって、論より証拠、彼のスローガンをいわゆる大衆のところに持っていってみるがいい。彼らはそうだそうだと手をたたいて、けろりとしてしまうことまちがいはない。だが私の方はそうはいかない。変に酸っぱい料理を一さじなめたときのような顔をして、「はて、おれは知識人やら大衆やら。この向うの男はいったい何者じゃやら」と思いをめぐらすにきまっている。変革の可能性をうみだす点で勝負にならない。また批判者は、私のスローガンが相手の知らないことをひけらかす鼻もちならぬ亜流を輩出させるおそれがあると心配しているらしいが、その点からいえば、彼のスローガンこそ俗流大衆路線へ簡単に移行してしまう直線にすぎないではないか。知識の世界を守るといったって、だれがそれを守るのか。大学の職員組合でも動かす気なのか。どだい学者が知識知識とさわいだりするのは語るに落ちるというもので、そんな半端な根性が敵からも味方からも馬鹿にされるのも無理はない。比喩に弱い人間たちが、すべりだしたらとまらないのを案じるのはもっともなことであるが、だからすべてのスローガンには歯どめが必要なのだ。その眼でみれば、どちらのスローガンの方が歯どめがきいているか、いわずと知れたことではあるまいか。

由来スローガンというものは、百パーセント機能主義の見地に立てばよいしろもので、あえて論証の必要もないと思うけれども、彼がまるで知識人向けと大衆向けの両刀使いの名人みたいな心持ちでいるのがしゃらくさいので、ついでがあれば伝えていただきたい。私は知識人を大衆向け放送のためのサクラと心得ている香具師だから、藤田省三君などにムキになる気はさらにないのだ。だが分析と分解は区別しなければならぬ。われわれの言葉の中身がどんなに頭二つの化物でも、存在としてはあくまで一つなのだ。ちゃんと生きているおかしな生命を二つに切って何になる。いや、分解法はわかりました。で、組立て方はどうなりますか。現在の瞬間が要求する論理はそこにしぼられているのだ。なに、分解法を逆さまにやってゆけば組立て方がわかるはずだ？　人殺しをすれば赤ん坊のつくり方がわかるというのか。状況をもちだせば原則に逃げ、原則をもちだせば状況に逃げることで、かろうじてインテリの面目を保っているような連中が、私のスローガンにおのが甲羅に似た穴をみつけてさわいだからといって、私はすこしも悲観しない。彼らにとってはそもそも心情と言葉を分離することすら至難な芸当であって、人殺しなどできるはずもない。額に汗をかきながら意識の分裂を促進するために大童《おおわらわ》になっているのを見ると、試験前夜の学生みたいなほほえましさがあって、こんな健康なインテリがいる間は日本の知識人もまんざらではないという気がする。だがかかる世の中においては健康もまた一つの頽廃であって、わが身の病いをあからさまにつきだし、それがそのまま組織の方法論になってゆくありさまを体験してみろといったって、しょせん健康なしろうとこそアカデミシャンの定義にほかならぬ。

あに藤田省三のみならんや。ちかごろ流行りそめの統一戦線論ときたら、まるで歩兵操典なみの厳格さ……耳の穴で閲兵式の足音がきこえてくる。それがいささか気になると見えて、あなたはしきりに寛容の徳を唱え、対立の統一を生張しているが、あなたの意見もやっぱり「結んで開いて……手を打って」いくうちに、組んずほぐれつのなかからルールを見いだし、「総体的イデオロギー」と「部分的イデオロギー」が見事なおにぎりのようなスタイルを形成するらしい。まこと整然たるもので、宇宙の天体が奏でるハーモニーを聞く心地がするのはどうしたものだろう。まさかライプニッツの予定調和に引っかけたわけでもあるまいが、伴奏音楽で点をかせこうという魂胆かしらと疑っている。しらを切るのもいい加減になさい。これらの統一戦線論はすべて決定的な地点でまちがっているのだ。それらは藤田君の知識論とおなじく、伝達の可能性に関する、およそ非現実的な楽観によって支えられているのだ。機械的な厳格さに対する寛容はいい。対立の統一はいい、しかしこの緩めたり緊めたりする規正装置はどうして作られるのか。統一戦線が自分自身を疑う規準の客観性をどこに求めるのか。そこを解決しないかぎり、戦後の共産党がなめた苦さをもっと大きな規模でくり返さない保証はないのだ。たとえば労働者階級という積分された抽象概念が全大衆の血肉と化し、それがはね返って組織の或る機関に集中する過程一つとりあげてみても、それは容易なことではない。まず第一に大衆のなかの多数派は、まだ労働者という微分概念すら、完全に自分のものとはしていない。「働く人」のイメージのなかには農民も職人も同列に参加している。そこへ労働者という概念をもちこんでも、たちまち日給とりと月給とりに分解してしまう。大衆の言葉で労働者という概念にもっとも近いものを探すとすれば、「人夫」ぐらいがいくらか対応するであろう。これならば働き者、大酒飲み、ケンカ早いの、だんまり屋という風にそれぞれの性格や風俗をともなって、彼らのイメージは即物的に回転する。だが人夫では当然に、現在のホワイト・カラーをふくむ労働者の大群とその運動のイデーに追いつけない。そこで労働者以外の大衆はもちろん、個々の労働者も労働組合も、究極のところで人夫と月給とりの間をさまよいつづける。私が知るかぎりの労働運動は、まだその辺を止揚しきっていないのだ。眼をあけて現物を観察しさえすれば、これぐらいのことはアカデミシャンでもたちまちわかる。だがそのときいちはやく「大衆には大衆の言葉で」というスローガンが承認されてしかるべきだろうか。またこの間隙を無視して労働者という言葉を念仏がわりに用いれば、いつかは大衆と知識人の思想が融解しあうだろうか。さらに進んで問題を提起すれば、大衆のなかの多数派がかつて彼らが人夫という言葉に向かってそうしたように、労働者という言葉をわがものにし、それに色や臭いを附与したばあい、果していまわれわれが労働者という言葉に対して抱いている観念の範疇が不変でありうるだろうか。いや、そのときはすでに自己規定を理解した労働者として、彼らの実体そのものが変化するではないか。それによって再び知識人の観念も侵蝕を受けるのだ。この変化を媒介し促進することこそ統一戦線運動の前提でなければならぬ。ところが前述の両者はいずれも、概念のスタビリティの上に伝達の可能性を見いだそうとしているだけのことだ。

だが知識人の概念の規準がみるみる回転させられてしまう地点はいくらでもあるものだ。すこし古い話だが、私は四、五人の同行者たちと鹿児島県下を歩いていた。そのあたりは耕作反別が田畑あわせて五反以下、年に十回も浸水があったりする火山灰地帯で、私たちは一週間というもののミソ汁と漬物のほかはどんな副食物も口にしなかった。ある村の特殊部落に入ったときのことだ。近郊農村の堆肥小屋はおろか、家というよりは藁の洞穴とでもいうべき住居の前で、はだしの部落青年団長がいったものだ。「私は仏印で終戦になった兵隊あがりですが、敗けたと聞いたとき、日本人も安南人みたいになるとすれば大変だと思いました。おかげでそこまではゆかずにすんだけれど、すこしずつ私たちの暮しも安南の方に近づいていくようでなにか不安です」。その言葉に私はかすかな目まいを感じた。どん底へきたなと思ったとたんに、彼はもっと深いどん底への恐れを語るのだ。これ以上落ちたくない、ただそれだけを哀願するようにではなく、むしろ朗々と話すのだ。婦人会の調査では、全村一日一人の蛋白摂取量が平均七グラム。たぶんそれはミソ汁の底に入っているダシの重さでしょうなと私がいったら、そうだ、それが一番大きいと彼らはニヤニヤした。そのもう一つ下に特殊部落がある。そこまではどうやら見えるといってもよい。けれどもそこの住人が持っている眼は、さらに細かくふるい分けるのだ。だからこそまた自分の没落を長い道程として見通し、戦慄をおぼえているのだが、この区分はどこにあるのか。たたみのかわりに敷いているアンペラの新しさ、古さにあるのか、町へ出るときのためにしまっている破れたズック靴にあるのか、塩壺の塩の目方いかんにあるのか、私は一瞬呆然としてたたずむほかはなかった。こんな場合、ちょこまかした質問が何の役に立とう。私は熱い蒸気にあてられたぐあいに別れたが、けれどもこの経験は基準というもののありかを私に示してくれた。たとえばあなたが多元的なものを抱擁しようとするとき、その寛容さは彼の微視的な厳密さをもやもやと溶かし、戦闘性を失わせてしまうのではないか。また整然たる原則論者が論理の階段をきざむとき、その厳格さは彼の巨視的なバランスシートのなかに埋没し、なんの手ざわりも与えないのではないか。つまり知識人の思考の微積分法は、ある種の大衆のそれとまったくの倒立関係におかれているのだ。

こういった経験がいくらかでも身にしみた人間は、自分の計算法が普遍的ではないこと、複式簿記を採用しなければならないと考える。あらためて知識人勘定と大衆勘定の赤字と黒字を付替えていく。ところがふしぎなことに、付替えの途中で数字がやけにちがってくる。そしてお互いに本物、ニセモノ呼ばわりで日が暮れる。なんのことはない、伝票にしかけがあるのをご存じないのだ。同じ名前をもった勘定科目でも、その解釈規定がちがっていたら話にならぬ。この断層をどうするか。私はその解決法として科目の分類は知識人にしたがい、その内容規定は大衆にしたがうという折衷的な為替管理方式を立てたまでだ。「知識人には大衆の言葉で、大衆には知識人の言葉で」を種明しすればそれきりのこと。そしてもちろんこんないかさま賭博から出発するよりほかはないわが身の幸不幸は、とくと承知しているつもりだ。しかし日本のアカデミズムというものが、人々のもっとも知りたがるかんじんなところをスリップさせてしまう映画予告篇みたいな技術主義に陥っている以上、私みたいに知識人勘定を大衆につきつけて、ニセモノへの疑惑にとりまかれている存在の知的優位は動きそうにもない。

問題はこうだ。仏教があのようにさんたんたる妥協を通じて修験道のごとき怪物をうみだしながら五百年以上を必要とし、儒教がついに支配層しかとらえ得なかった道をいまわれわれが歩いているのだ。大衆自身が思想の勘定科目すなわち言葉の分化を統御しうるまで、このぬかるみを小ぎれいに歩こうとする了簡は、すこしも生産的ではない。毛沢東は「的は中国、矢はマルクス・レーニン主義」といったけれども、その場合矢そのものも的によってスタイル上の規定を受けるわけであり、中国共産党はそこのところを帰納的に証明してみせた。だがまだ演繹すべき原理としては、ほとんど証明に達していないと考えるべきだろう。われわれもまたここで起ってくる適用もしくは翻訳の問題に関して、完全な経験主義から一歩も出ていない。しかも彼らはそこに共通する誤差あるいは倒錯について存在と範疇の幾何学的な一致という、いわばデカルト的信念をふりまわしているのだ。中国で共産主義の天堂などという言葉が使われているのを見聞するとやたらに感心するくせに、日本で指導者は観音さまだなどというと気ちがい扱いにする。すでに顕在化しているものでなければ存在と認めることができないのは、まごうかたなき自信喪失者の烙印であって、臆病者は神曲のなかでダンテからもっとも手荒く扱われた人種であることを銘記する必要がある。こんな調子では無意識世界の顕在化や不条理なるものの倫理化など、縦横無尽に「結んで開いて」と掛声かけてもどうにもなるまいと思わざるをえない。

たとえば『民話』五号に民俗学者宮本常一氏が書いている事実をあなたはどう見るのだろう。それは九年前に彼が対馬のある村で経験した寄り合いの報告なのだが、彼はクジラとりにからまる記録をふくんだ部落所有の古文書を、折から神社で開かれている寄り合いに貸してくれと申し込む。まず区長がきりだすと「大事な書類だからみんなでよく話しあおう」というだけのことで、話は他の事項に移ってしまう。そのうち突然、ある家が持っていた書付を親類に貸したらそのまま返さず、その書付を証拠に旧家づらをしている話がでる。すると次々に不用意な貸し方をしたために起った災難の例が出される。けれどもそれがとぎれるとまた他の議題に移動する。しばらくして三たび話題は古文書に集まり、死蔵していたものを眼のある人にみせたら得をしたという前と反対の経験がひとしきり語られる。こういうことが繰返されてゆっくり結論へ近づいていくのだが、その間あちこちにかたまったり、私語をしたり、食事をしたり、家に帰ったりするのは自由で、一戸一人の出席だけが義務づけられているらしい。討議のしかたは、はじめに区長から協議事項の説明があり、それぞれの地域組に分れて話しあった結論をもちより、もし折りあいがつかねばまた自分のグループへもどって話しあう。論理をぶっつけあうのではなく、自分の体験にことよせて知っているかぎりの関係ある事例を重ねていく。反対意見も賛成意見も冷却のための時間をおき、しばらくそのままにして考えさせ、むずかしい件は三日も話しあう。そして最後に責任者が決をとるというしだい。

この報告から経験の平面的な羅列と賛否を明らかにせず合槌をうつ形式で自己の主張をほのめ

かす態度をとりあげ、そこに日本人の無思想性、自我の不在を見ることはどんな阿呆でもできる。いまさら知識論をふりまわすまでもないことだ。『民話』の同じ号には藤田君の「大衆崇拝主義批判の批判」がのっていて、彼は——例えば井戸端会議ではそこにいない人のわる口が出ると、本当に自分でそれ程わるく思っていなくても相手に辻褄を合わせて「そうなんだ、そうなんだ」という式で話をする習慣があるんだ。役人の前や「公け」の場に出ればまたその場の習慣に合わせた行為をするわけだ。両方ともたてまえといえばたてまえだし本音といえば本音なんだ。場の習慣に同化しない本式の「本音」っていうのはどこにもないんだ。つまり「本音の不在」が日本的精神の伝統的な特徴だといえるわけです……文化構造全体についていえば、谷川雁の本の題と反対に、「原点は存在しない」ということと見合っているわけだ。たとえば、ドイッだと民話の世界はあらゆる他の文化領域の根っこになっていて、そこで、文化の体系（カルチュラル・システム）が存在しているといえるんですが、またイギリスだと、コモンセンスが根になっているわけですが、日本の場合にそういうものはない。つまり原点不在なんですよ——といった通俗理論を展開している。彼の究極的に言いたいことは「非実践的なもの非工作的なものの間接の、従ってより大きいかもしれないところの実践性や工作性を理解することができない……もしそれができたらそれこそ本格的に冷酷な知識が生れるんじゃないかと思うんです。大衆崇拝主義をどれだけ批判しても工作者追随主義がある間は決して知識は成立しないものだ」ということらしい。いったいわれわれは何度こういう講釈を聞けば夜が明けるのだろう。これらの文章が彼の「知識人の言葉」なのか「大衆の言葉」なのかさっぱり見当もつきかねるが、文化の体系なんて言葉にわざわざカタカナを括弧に入れ、傍点までふっているところを見ると「大衆の言葉」のつもりであろうか。それにしても本式の本音とはずいぶん気合が入ったものだ。ダラ幹の演説でしばしば拝聴する修辞法である。もっともわが柳田謙十郎先生でもアカハタに「徳川中期まで人民の思想というものはなかった」とお書きになるご時世だから、あえてこの演説一つを眼に角立てていうほどのことはないが、日本の人民から大脳撤去手術を行って平然としている人間たちには、精神の領域における生体解剖事件が起っていることを通告する必要がある。彼、藤田君は――日本じゃあ生《なま》の価値観を出さないと価値観や世界観がないのだと評価されがちだが、それは評者の側の読みとり能力がいかに浅薄であるかをあらわしているに過ぎないことなんだ。抽象能力がないというのはそういうものをいうんです。隠微なるものを発見できないのですね――といって、政治学者の擁護にこれ努めているけれども、それをちょいと大衆の側へ向けたらどうでしょう。隠微なるものが見えませんかね。

さすがに宮本氏は「日本中の村がこのようであったとはいわぬ。がすくなくも京都、大阪から西の村々には、こうした村寄り合いが古くからおこなわれて来ており、そういう会合では郷士も百姓も区別はなかったようである。領主―藩士―百姓という系列の中へおかれると、百姓の身分は低いものになるが、村落共同体の一員ということになると発言は互角であったようである。……差別だけからみると、階級制度が強かったようだが、村里内の生活からみると郷士が百姓の家の小作をしている例もすくなくなかった」という風に共同体の二重構造性を下じきにおいて、この事実をとらえている。それはニイチエじゃないが、歩いて得た思想であり、そのような種類の人間の常識でもある。彼が一度だってストライキを指導したりしたことはないにきまっているが、彼は事実の報告によって工作しているのだ。藤田君も学者が非実践者だの非工作者だのという俗論の上に居直らないようにしたらどうであろうか。それというのも彼の価値観が隠微であるどころか、あまりにもむきだしであって、個人というものを西欧的な発想からしか理解できず、集団の成員として集団に帰着する表現形式のAからZまでをまるで見ていないからだ。私は一度も工作者追随などに陥ったことはなく、つねに工作者の変革を主張してきたが、彼は工作者という概念をスタティックな状況のうちにしか見ない。それと同じようなすれちがいが彼の「本格知識」と大衆の本音の間に存在する。頭を低くして、黙々と反撃をねらっている人間がたやすく本音を他人様に渡してしまわないのは、古文書どころのさわぎではないのが当りまえではないか。公安調査庁みたいな眼つきで何が見えるというのだ。

その点からいえば民俗学者や民話研究者たちにも不満はある。彼らは歴史がいなずまのように大衆を引裂き、変化させるときの瞬間に対して、いかにも貧しい想像力の持主であり、一種の世捨人として民話を温度の低いミュートスにしてしまう。大衆の錯乱がおだやかな英智になり、オナラが抵抗の象徴と化す。だがたとえば前述の寄り合いが一揆の前夜とまではいわなくとも、上納米の割当てでも論議するとすればどうであろうか。あてこすり、ほのめかし、比喩と逆説の粋はいわずもがな、これらの論理を包囲していた凍りつくような沈黙、女子供の絶対の沈黙、そして筋肉だけが語るかすかな言葉があったにちがいない。そこを掘り返すには、彼らが現実変革の前線からのぞきこまないかぎり不可能だ。それが単に認識の問題という風には片づかないところを迂回して、ばらばらな実例を持ちだしても証明の役には立たない。言葉なき言葉を言葉として語らせる力は、嵐のごとく相手をたたき伏せるものだけが所有する。それを忘れて、ここにもあった、あそこにもあったと潮干狩みたいなことをしていたのでは、しょせんモダニストの敵ではない。問題はすでに顕在化しているものではなくて、なおも潜在しつづける大衆の理念の存在のしかたにある。

原点がないとか人民の思想がいつの時代より前にはないといってみても、現在の革新政党や労働組合の会議が前の寄り合いと本質的には寸分ちがわないものであることは明らかだ。それは笑うべきことではなく、そこに論理の根がある以上、必然の出発点なのだ。日本の進歩主義には日本の根があること、それは論理的要請でもある。だからといって私はこの寄り合いにおける論理の展開法を、あたかもピカソが路上の子供の落書に発見したようなキュビスムとして見ようというのではない。そのような内容上の規定を軽々しくとりかえっこしてみても、ある種の気分をうみだすだけのことだ。私が言いたいのは、思想の根、論理の根とはいったい何かということだ。もちろんそれは封建―近代という一つの軸を持つ。と同時にそれは歴史的、民族的な思考のスタイルという点でより恒久的な連続性をそなえた、もう一つの軸を持つ、それは人間の存在様式に規定されているのだから、当然に共同体の構造の特殊性、主として土地と人間の結びつき方に関連する。ある文化の現在時点を決定する価はこの二つの座標軸によって求められる。会議―寄り合いの線上でわれわれの観念が揺れているのは、前者の軸によってではなく、後者の軸すなわち文明の様式に関してなのだ。中国のスローガンから拝借すれば土―洋ということになる。そして私の「原点」を実体化して受けとるような政治学者がいる現状では、「形式において民族的な、内容において社会主義的なわがソヴィエットの文化」というスターリンのスローガンが強調されねばならぬ。だが私はみなさんが会議と寄り合いの間をさまよっていらっしゃるのに、私だけがどちらかにきっぱり所属しようなどとは夢にも思っていない。またできもしないことだ。それは政治学派や民話派にお任せする。私はただ巨大な集団の運動だけが個人の所属を最終的に決定するであろうし、それはかならず民族的な内容をもって社会主義的な形式に対応させつつ、最後的に内容と形式の逆転をもたらすような自己変革の過程としてあらわれてくるであろうという見通しを語っているのだ。この回転の順路をみつめること、自分のなかの相剋としてみつめること、そこから統一戦線のイデーが発生しなければならない。

統一戦線というような立体的な運動は、ある決定的な難関、単に政治的なばかりでなく、全文明の死活をにぎる結節点が人々に見えてきたときはじめて起ってくる運動なのだ。伝達の可能性などどこにあるかと疑わざるをえなくなって求められるものだ。したがってそれは状況のもっとも困難な、固い部分にエネルギーが集中されるよりほかに道はない。統一戦線の中核は前衛党であり、いずれそのエネルギーは中核に吸収されていくというような、卵のなかでヒヨコがかえることばかり案じている姿勢では前衛の二字が泣くというものだ。そういう眼からみれば、今の日本に総体的であれ部分的であれイデオロギーの名に値いするものがあるのかどうか。安保条約廃棄その他の政治的主題はとっくに定まっており、それに応じるエネルギーにもさほど不足しているわけではない、かりに顕在する政治統一戦線にはもうすこし足りないとしても、その不足分は労働者、農民の戦線統一よりも一足早く、一歩深くうまれる可能性のある文化統一戦線によって造出することができる。文化戦線が政治戦線の下風に立つことをいさぎよしとしない苦労症もいるけれど、それなら文化人党を作って総裁にでもなったらどうであろう。下級のとはより低い価値のという意味ではなく、より直接的なという意味ではないか。ヒエラルキーを根本的に転回しようとしない神経では、およそ統一戦線なる観念を抱くことが自己矛盾だ。これはすこし頭を冷やしてもらって、文化戦線が政治戦線を引っぱるつもりになればいい。——こんなぐあいに図式を描いてゆけばみるみる統一戦線の一つや二つできないことはないという気になるのだが、それがしかく簡単に進まないのはなぜか。そもそも統一戦線という言葉に各人がふくませている内容がくいちがっており、その基本には労働者と人夫という二つの概念の間になんらの流通方式も考案されないままに、組織論が停滞していることにある。つまり文明の様式に関する混乱が、反動—進歩の軸に併列的にかぶさっているからだ。

だからいま必要なことは、従来の論争で単なるコンプレックスとして扱われている意識下の領域と文明の様式とのからみあいを統一戦線上のY軸として認め、これにみずからの生身の肩を押しあててX軸と垂直に交わらせようとつとめ、運動の現実的な場を構成することである。もちろんそれは審判官や交通巡査がよくするところではない。つるはしとメガフォンを同時にもった工作者が要るのだ。彼は決して大衆―知識人を反動―進歩の軸にダブらせてしまうことはない。彼はいささか現場の香りをつけたハイボールを製造してみせればたちまち酔っぱらう人種を相手にあくびを嚙みしめて襲いかかるだろう。それはある種のあそびだ。けれども単線レールの上を進歩の亡霊がゆきつもどりつしている国では、避けるわけにいかない、しんきくさい労働でもある。しかし私たちは包囲しつつある。四、五年前、私が精神のコンミューンと言いだしたとき見えない見えないと首をふった連中は、いま中国の人民公社の前で声も出せないではないか。トロール漁法というものは一本釣りの漁師にはなっとくゆきかねる節が多いかもしれないが。

日高さん、あなたは何をしているのか。藤田君でさえちょっぴり手品師の上衣を脱いだり着たりしているとき、あなたはまた例の手つきで砂漠のしんきろうでもこしらえているのかしらん。札をお出しなさい、札を。激越な調子で隠健な説を吐く私なんかより、あなたの方がよほど危険分子であることは文部省だってよく知っていますよ。

（一九五九年四月「中央公論」）

何が「警職法」を破ったか

1

一つの、すばらしい重量感をもつ課題がわれわれの前にある。一九五八年秋、日本人民は未曾有の事実を体験した。法制化という形をとった権力の弾圧企図をはじめて人民自身の力が粉砕したのだ。この影響はなおも社会のすみずみにまで古い鐘のように鳴りひびいている。権力者の視野は霧にとざされはじめ、大衆は生活の困苦にひしがれながら価値体系の或る角度の傾斜を味わっている。それは敗戦後二、三度訪れた「世の中が変るかもしれぬ」という叙情的な心情の飛躍ではなく、それよりもはるかに生活に密着した領域での価値観の震動である。いわば変化に対する傍観者としての予感でなく、権力と自己の関係を単に利害の糸でつなぐ理解でもなく、そこにある種の新しい正義の観念が誕生しはじめたことを感得させる。それはようやくにして権力は公のものであり、大衆は私のものという日本的マンネリズムの解体過程の第一歩でもある。

しかしながら、始めと終りが画然としている大衆運動はその成敗を主観的な意図がつらぬかれたかどうかに集中して論議されるきらいがあるため、かえって内包している問題の客観的本質が見落されがちである。警職法闘争の意義は、それが当面の力関係にもたらした影響にだけあると考えてはなるまい。むしろ、この一例のうちに日本人民の恒久的な勝利の方式が秘められている点を執拗に追求してゆかねばならぬ。もしこのことが成功的に解かれるならば、今後の運動はそれを意識的に運用することにより大きな飛躍をとげるであろう。鍵はあたえられた。――なによりもまずここに実証されたケースがある。

では警職法改悪反対闘争の一応の勝利の原因は何であったか。革新勢力の予想外に大きな結集であったか、いわゆる文化人の蹶起によるものか。それとも中間層の広い支持であったか、はたまた自民党内部の動揺と対立であったか。それらの要素がいずれも重大な役割を荷うものであることに何人も異存はないであろう。けれどもその要素のどれが決定的なキー・ポイントであったのか。そのいずれでもなく、すべての要素のからみあいであるという答もたちまち出てくるにちがいない。しかし、これらの顕在的な諸要素がすべてかけ合わされたとしても、果して十一月五日のエネルギーに達するであろうか。すくなくとも、諸要素の関連または相乗作用というだけでは、力の構造を内部的に照明することにはならない。してみると、勝利の原因に関する解釈がまちまちであるというよりも、その解釈に自信をもたず、ためらっているのが理論分野の現状ではあるまいか。私はなんらの理論研究に携わる者ではないが、人民の勝利を願う地方生活者として、自分の網膜に躍っている影像について語りたいと思う。

2

それはなにひとつ珍しいこともなかった晩秋の一日だった。筑豊炭田一帯を終日ゆるがす貨車の響きだけが消えていた。すべての炭鉱は二十四時間ストに入って地域の集会とデモが行なわれていたが、それはめざましさというよりもボタ山のスキップをめがける炭車の上り下りが見あたらない程度の静かさをふだんの炭鉱風景につけ加えているにすぎなかった。その頃――午前八時〇三分門司駅構内へ入るはずの長崎行下り特急平和号は関門トンネルの中で二時間立往生していた。門司駅では二名の出札係をのぞき、全員がすこし離れた寺で集会を開いていたのだった。やがて汽車は青い旗をふる信号手に先導されてのろのろと姿をあらわした。すべての窓が大きく開かれ、そのひとつひとつに身をのりだした乗客の顔があった。敵も味方もちょっと唾をのみこむ瞬間だった。軍隊の演習だとしたら、勝利を判定する将校たちが双眼鏡を一斉にあてがう場面だった。そこから力のバランスが大きく崩れてゆく峠というよりも、すでに反応を終ったあとの数値がそこに刻まれているはずだった。そして将校たちのかわりに報道関係者がどっとそこへ駈けよった。その結果はだれの眼にも疑いようがないくらい一方的だった。手をふる者たちがいた。酒びんを片手に「しっかりやれ」とさけぶ二等客があった。労組がまいたビラは例外なく丹念に読まれた。新聞記者に対する応答は紋切型といってよいほど一致していた。「汽車がおくれるのは困ります。困りますけれど、事が事ですから一時間や二時間の延着は……。」ただひとり、危篤の電報をもらっているのだが、とつぶやく男があった。この状況は集会を開いている組合員たちにすぐ知らされた。

「そのときはじめて特急平和号の名前が私たちに身近なものになりました。」

その日乗客であった数多くの証言がこの線に沿った事実を明らかにしている。それは乗客のなかにはげしい討論はなく、延着を黙々と受けいれる風情があったこと、自分の蒙むる不便と改悪法案とを秤りにのせれば「やむをえない」という心境で一致していたことを告げている。門司とならんで、その日の国鉄闘争のもう一つの中心であった鳥栖駅でも、乗務員が待ちかまえた組合員のスクラムにたちまち「連れ去られる」ような風景に見えても、直接食ってかかった乗客は一名にすぎなかったと報告されている。「事が事だから」という言葉は期せずして一致したその日の乗客心理の最大公約数であった。私が訪れた二、三の駅では、職員がまるで天災地変によるダイヤの混乱といった表情で仕事をしていた。乗客にはつとめて親切にしようという態度が見受けられるのが、かえって日頃にない感じを与えていたけれども、労組からのアピールはまったくなかった。

3

労働者階級の闘争が十一月五日以後、社会党大会待ちといった姿勢になり、岸内閣の動揺に追撃をかけえなかったことが今では批判されている。右の事実から見ても、もし二十五日の統一行動が再び決定的な手段に訴えたとしても、大衆から浮きあがるおそれはあまりなかったであろう。しかし、労働者階級は五日午前中に至るまでは充分な自信を持っていなかった。そのことは国鉄労組がいわば「おっかなびっくり」の姿勢で乗客に対していたことからも容易に察せられる。彼等は乗客に面と向って訴えることで反撥を顕在化するよりも、摩擦をひき起さないためにそっとしておく道を選んだようにみえる。それは国鉄がとってきた低姿勢の延長であると同時に、未経験の闘争主題をとり扱う不安のあらわれでもあった。

そもそも改悪法案提出の直後には労働者階級の指導部分には一瞬息をのむような静けさがあった。戦後十数年の苦闘もこれで水泡に帰すのではあるまいかという危惧の念に襲われていた。彼等が短い期間、ある種の敗北的心理を抱いたのは、彼等の大部分が戦後のいわゆるポツダム組合のなかから育った温室の花であるという理由のほかに、もう一つの根拠があった。

それは当時の全社会的な心理風景がプロ野球日本シリーズに熱狂していたという、こっけいではあるが、深刻な事実だった。労働者といわず市民といわず、都市と農村を問わず、圧倒的なキャンペーンの前に大衆の知覚神経はことごとく麻痺しているかに見えていた。その時刻になると繁華街の人通りは少なくなり、電車はガラ空きになった。官庁をはじめ大多数の職場で所内マイクは実況放送を流し、執務はほとんど停止した。国会の審議さえもその時間に合わせられ、岸首相が「日本民族の運命を決する警職法……」と断言しながら野球観戦にみずから出かける状況下では、大衆にとって警職法が目前の課題にならないのは当然でもあったろう。むしろ福岡県のように西鉄ティームの地元である一帯では、プロ野球に関心をもたない者は老幼をふくめて変人扱いにされ、また西鉄ティームを応援しない者は反逆者扱いを受ける危険すらあって、このような空気が言論の統制とつながらないとは断言できないまでの昂奮状態を作りだしていた。事実、巨人ティームを応援する者はそれを公然と言明できず、特定の場所に集まってひそかに応援する傾向さえみられた。このふんいきのなかに警職法を持ちこむことは、一般に大衆の気分に迎合的なまでに敏感な戦後指導者にとって、困難な課題であることにちがいなかった。

だが他方ではこの状況は闘争に微妙な効果をもたらしたといえないこともない。それは職場の管理統制をゆるめさせ、大衆に非日常的な感覚を植えつけ、五日以前に何度か一種のゼネスト的状態の予行演習をする結果になった。その辺はいささか判定困難なところではあるけれども、職場の規律が硬着しているときよりもある程度弾力を持っているときの方が労働者を能動的にするのはしばしば経験されることである。しかもこの熱狂がすぎた直後に、すみやかに社会の関心は警職法へ集中していった。このことはマス・コミの功罪とその限界を考える上に好い材料であろう。と同時に、このような形での二つの次元——大衆の感覚と論理の分裂をなすところもなく見送った事実は注目されなければならない。皇太子の婚約は追撃の段階に入った警職法問題への関心をそらすものとしてかなり手きびしく論じられたが、マス・コミによる破壊的効果としては皇太子の婚約よりもプロ野球日本シリーズの方が、はるかに危険な意義を持っていたといえる。

闘争が進むにつれ、諸階級や階層の意識がはげしくもつれあっていることがしだいに目立ってきた。

4

総評と全労の共同闘争は労働者階級に大きな激励を与えた。福岡県下における共闘の難関は共産党を包含するかどうかであったが、県段階は保留して、各地区の共闘会議の自主性に任せることになった。十四の共闘会議のうち、一つの例外を除いて共産党の参加が認められた。全労系のゴム、セメント等が就業時間にくいこむはじめての職場大会を持ったほか、全金属傘下を中心に多くの中小企業労組がそれぞれの組織にとって画期的な行動をくりひろげた。しかし鉄鋼、造船、化学の一部等が基幹産業としてもう一歩の水準に達しなかった。闘争を具体的に組立てはじめてから幹部がいちように経験したことは、闘争が政治的主題であるにもかかわらず、下部は「今度こそやれ」と上部を鞭撻したことである。経済闘争であれば下部大衆の支持を得られるが政治闘争ではそれを望めないという戦後労働運動の常識は、ここに全く顚覆してしまった。それと共に、全労傘下の組合でも、大衆の闘争力はかならずしも総評のそれに劣るものでないことが実証された。それればかりではない。眠れる獅子としての位置に甘んじつづけている八幡製鉄でも、五日の行動を見送ったとき、十数支部から〝行動に起て〟という要請が執行部へもたらされた。また二十五日の行動にストライキをもって参加するかどうかの投票は、スト権を確立するまでには至らなかったが、過半数を突破した。これは一見闘争がすでに峠を越えたかに見えていた十九、二十、二十一日の投票であることを考えると、労働者の意思はむしろより一歩の追撃にあったと評価できなくもない。五日の地域集会に参加した八幡製鉄労働者の数はメーデーよりも多かったといわれるように、表面不活潑であった工場でも、下部労働者の意識はある速度をもって流れていたことを知ることができる。それをチェックしたのは概して幹部の経験主義的な日和見であった。

だが幹部の責任を倫理的に追及するだけでは何物もうみだすことにはなるまい。そのような思想態度のうまれる根拠はやはり下部大衆の意識にあるわけで、闘争の期間を通じて組合員の心を強くとらえていたのは、警職法改悪がもたらす次の体制の全構図ではなく、「労働運動がつぶされ、自分たちの生活権の擁護者がなくなる」という直接的ではあるが部分的な防衛の心理であった。それはたとえば勤評問題の初期に教師たちをとらえた衝撃と酷似しているものであり、いわば政治的課題を経済的にとらえる態度である。すなわち幹部が大衆の意識と慣性を考慮することによってみずから陥った組合主義そのものが、大衆の次元のなかでは組合主義からはみだしてゆく契機としてはたらいたと考えることができる。にもかかわらず、労働組合を自分の所属する利益集団として強く認識することにより、その集団を一切の体系の最上部に置き、ある意味でそれを神聖視するギルド的観念が、闘争を真の政治的領域——国会解散、内閣打倒へ向かわせる障害にもなっていることは否定できない。

たとえば労組側の情宣が会社側の宣伝を圧倒している三井三池炭坑の場合でも、ある報告者は語っている。――平和署名のため社宅を廻ると、まず「組合から来たか」と聞かれる。「そうではない」と答えると、「組合の承認を得て来たか」という。そこで、平和署名など組合の意思ではなく、また承認を受けなくとも、必要な運動の領域があることを説明してもなかなか納得しない。趣旨には賛成だからといって署名をしても、労組と直接関係をもたない活動スタイルの存在理由については全く理解しないままに署名をする。

このような一種のサンジカリズムは、いま大企業労働者の中に根強く存在し、独特の単調な機械的唯物論を形成している。社会党はこの傾向にするどい批判を加えることなく、むしろこれを助長することによって戦後労働運動の主流をにぎったが、そこで労働組合はある意味の「部落」化し、他方では部落の中から部落を否定するより大きな連帯感の創成に失敗した。この傾向の当然の延長として低姿勢論はうみだされたのであったが、下部大衆はかえってみずからの低姿勢の極限に自己の利益のシンボルとしての労働組合を発見し、労働運動の一部ではなく全体を守るための闘争に起ち上ったのだった。

したがって、警職法改悪反対闘争は組織労働者の機械的唯物論を一回転だけさせる弁証法的な役割を果したのであるが、この闘争を通じて大衆の弁証法的思考を訓練しようとする態度は、指導のどの部分にも見られなかった。すなわち改悪企図がすでにさまざまな面で実行に移されていることまでは説明しえても、革新勢力あるいは個人の内部に自由をみずから抑圧し拘束する傾向の具体的な例証を発見し、それを攻撃することで改悪企図の深さをえぐりだそうとする努力はなされなかった。

一、二の例をあげれば、熊本県水俣市の第二小学校ではP・T・A新聞にのせる目的で勤評に関する調査を行なった。この結果、父兄の意見は絶対多数が勤評に反対であることを示した。しかしその結果は、教組の努力にもかかわらず、今日に至るまで校長と一部のP・T・A幹部の圧力により公表されていない。父兄のなかには、公表を前提とした調査であるからすみやかに発表せよと要求する声もあるが、教師自身この問題を警職法改悪の本質と結びつけて理解せず、勤評にからむ小波瀾としてしか見ていない。——また筑豊の三菱上山田炭鉱では労組が財政的援助をしているサークル誌が、労組幹部の出世主義、官僚主義を批判した投稿を掲載したという理由で発布を禁止された。これに対しサークルと労組幹部は激しく対立し、下部大衆からはサークルを激励する声があがっているが、いまなお解決を見ていないばかりでなく、サークル内部にも動揺と混乱がある。

5

農村ではどうであったか。農民の反応はいつものようにきわめて弱かった。鹿児島市の集会には戦前の小作争議の経験をもち、いまは隠棲している老人が出席して訴えたりしたが、それらの例外的ケースをふくめても、独自のめぼしい動きはほとんどなかった。それは闘争の高揚期が農繁期に当っていたこととも関係がある。大牟田市の近郊農村では、十二月に入って警職法をめぐる各党の政見発表会が開かれたとき、農民は一月前の事態についてあらためて説明を求めるほど状況を知らなかったと報告されている。けれども、もとよりそれがすべてではない。鹿児島県加世田市で精米業を営んでいる或る活動家は「勤評のときはあまりしつこく訴えると精米の依頼者が減った。しかし警職法ではすこしも減らなかった」と語っている。彼の話によると、農民は自分から進んで警職法に触れることはなかった。だが意見を尋ねると「いかに政府でも世論にはかなわないだろう」と答えたという。他方、農民は主として村の駐在巡査と自分とのこれまでの関係から警職法の改悪がどういう結果をもたらすかを感得している。

一般の農民が比較的に鈍感であった反面、村の反動層は改悪にするどい期待を抱いていた事実を示す例もある。福岡県遠賀郡のある村では、法案が提出されると村長や村会議長が公然と青年たちにこう語っている。「自民党は国会で絶対多数をもっている。どんなにじたばたしても法案は通るのだ。そして戦後大きな顔をしてたてついてきた連中を、今度こそ黙らせてやるのだ。」この言葉は地方の反動たちが、法案の成立をもって一種のクーデターが開始されるのだという気構えにあったことを物語る。しかしながらここでも、それなればこそ、普通の農民たちは法案にそっぽをむく態度、沈黙をもって応戦した。

6

いわゆる中間層のうち、比較的に安定した生活水準を保っている部分は、新聞や放送にかなり明確に自己の立場を表現した。けれども街頭署名や街頭での意見発表にもっともためらいがちであり無関心であったのは、身なりのよい若い婦人たちであったと報告されている。

これに反して意外なまでに積極的であったのは、日頃警察から痛めつけられているヤクザ、グレン隊、テキヤの類いであった。福岡市の街頭署名にたちまち応じたのは、どの場所でもこのような青年たちであった。彼等はあたりはばからず警察の悪口を叫びながら署名した。共産党事務所に幾組かの「ヤクザ」が激励に訪れたりした。勤評闘争で市中にビラをはりめぐらした反共右翼団体も今回はなんらの活動も見せなかった。また大分県中津市の自民党の映画館主は進んで署名をし、党支部内で問題になっても撤回しなかった。旅館組合でひそかに応援するケースもあった。若松市のハシケ業者は水上署員への饗応に苦しめられている理由で闘争に同情的だった。彼等のバランスが盗炭による損失と強制される饗応費の間をゆきつもどりつしていたというよりは、むしろ警察に対する道義的不信の念にかられていたというべきであろう。

戦後派とそれ以後の世代に刻まれている合理主義的態度は、たとえば「デイトをじゃまする警職法」というキャッチ・フレエズにもよく表現されているが、それは戦前戦中の記憶をもつ古い世代と奇しくも一致した。自衛隊の内部でも、隊側から陰に陽に教育と警告を受けたにもかかわらず、二つの世代の一致点として改悪反対の表情は過半数を蔽っていた。

従来、自民党の反動カンパニアの最前線を構成し、権力の末端と相互に補足的な役割を満じていた部分は、この闘争において完全に沈黙するか、反対者の側へ廻った。このことは彼等が「これ以上警察をいばらせてたまるか」と一致して発言していたように、権力に包まれることによってもたらされる彼等の利益はむしろ自己防禦的なものであって、一定の限度を越えた警察権の強化は彼等の体制にとっても不利であると、彼等自身判断しうるまでに自覚してきたことを意味する。同時に、彼等の心理風土は直ちにそれを利害関係として表現するよりは、一種の正邪の観念としてあらわすことを好むという日本的理念化のコースを持っており、この面では組織労働者の組合主義と対応するものがある。この点を無意識のうちに、あるいは大衆追随的にとらえた組合幹部の例として、国鉄門司支部のある幹部は五日の闘争のあと各職場を廻って「私をみなさんが男にしてくださってありがとう」と挨拶したという。

7

以上が九州における警職法闘争の過程で私が見聞した特徴であるが、おそらくそれらはなんら九州に独自な現象ではなく、全国の諸地方にみられた平凡な事象の一斑にすぎないであろう。むしろ勤評反対闘争と警職法改悪反対闘争の著しい差異は、前者がかなり激しい地方的落差の上に展開された全国的闘争であったのに反して、後者はほとんど画一的に、なかば紋切型ともみえる単調さで進行したことにあった。けれども、この単調さの内部には幅の広い国民的な利害の一致が異常なまでに露骨な階級性に支えられていた点で、漠然とした感覚のものさしの通用しない側面がある。

たとえば法案に対して労組幹部の受けた衝撃は、労組幹部としての社会的位置が空しくなるという不安を否定しがたくふくんでおり、そのゆえに一方では下部大衆への大胆な働きかけを抑制する傾きがあったのにくらべて、下部大衆はより露骨に、純粋に、全面的に自己の階級的利害を守ろうとした。しかしながら階級的利害を自己の属する労働組合の利害という形に限定するかぎりでは、労働者階級の闘争に「委託」して自己の要求を表現しようとした中間層、未組織労働者のエネルギーを包摂しつくすことにならない。逆に、鹿児島県加世田市にあらわれたように、地区労がサークルのメンバーに鼓舞されて立上るといった例や、大分県民文化集会で組織労働者が「今度の闘争は文化人が主役だった」と発言するような例をうみだす結果となる。つまり、表面ではきわめて体裁よく一致しているかにみえるけれども、そのなかにふくまれている微妙な陰影の差が問題にならないうちに、闘争の一段落といった事態を招いてしまったのは、警職法闘争が充分な内的成熟ののちに次の段階へ移行発展した場合にくらべて、非常なマイナスであったといわねばならない。

このことは実質的に統一行動の中軸の役割を果した地区段階の共闘会議がほとんど解散せず、安保条約改定反対へ移行しようと決定しているにもかかわらず、事実上開店休業の状態にあることと無縁ではない。言論・集会その他の民主的自由のために闘った統一組織がたとえ敵の企図を挫いたあとであっても、現在なお加えられつづけている自由への攻撃に対抗するためにも、この闘争を友好的な沈黙で迎えた国民の各階級・各階層に対して闘争の批判一つ聞こうとせず、自分自身の内部にある非民主性を底深く追求しようとしていない弛緩した態度は悲しむべきことである。

なるほど地区共闘会議は従来の地区労よりも一歩広い共闘をかちとり、その力は現在「戦争と失業に反対する大行進」のカンパニアにも発揮された。一月六日の福岡市の出発点では安保条約廃棄その他の要求に関する署名が二時間のうちに二千票も集められた。だがこのエネルギーを単なるカンパニア以上のどこへ深化させてゆくのか。この点を検討しないままに労働者階級が戦後とらわれつづけている形式性を延長させてゆくならば、警職法改悪反対闘争はただ一回かぎりの勝利に終るおそれを多分にもっている。

8

警職法改悪反対闘争はいわゆる政治闘争、政治的主題による闘争である。だがすべての政治闘争がそうであるように、それは通常の経済闘争よりもさらに広い経済闘争的側面を持っている。これは勤評反対闘争があれだけの論議を重ねながら、明らかにしえないでいる側面である。この点で警職法改悪反対闘争は勤評反対闘争の限界をつき破り、この大きな主題が実はそれぞれの生活と端的に結びついていることを自覚させ、さらに広い大衆を結集させることに成功した。「勤評賛成、警職法反対」という層が労働者のなかにすら意外に多く、その部分が警職法問題の段階になって「実は勤評には賛成だったのだが……」と発言するようになったのはこのためであった。

言い変えれば、警職法問題は労働者のなかの全労的イデオロギーを総評組織のなかで明確にし公然化することによって、総評の指針へ一歩全労働者を接近させた。

しかしながらそれは警職法問題のもつ政治的意義の全重量を労働者が正面から受けとめたということにはならない。むしろこの闘争はいまだかつてない広汎な経済闘争として闘われたことを冷静に見通さなければならない。すなわちそれは政治的スローガンに統一された経済闘争としてのなかみを持ってはいたが、それぞれの階級・階層が自己の利害を相互の連関と提携のうちに見るのではなく、独立したまま前方にたたきつける行為を主軸とする運動に終った。したがって闘争の顕在的エネルギーは縦横に複合されず、いわゆる統一戦線の内部構造を実践によって充実する方向には働かなかった。統一行動組織が得た原則的教訓は、共産党であれ何であれ、要求に賛成し加盟を求めるものの一部でも排除しようとすることは、それ自身が警職法改悪による自由の拘束の拡張を承認する行為にひとしいという一点であった。

もちろんこの原則が共産党をめぐって前進しはじめたことは、今後の情勢にかぎりなく重要な意味をもつであろう。しかし、それでは従来民主勢力のうちに数えられるどころか、およそ敵対的な勢力として評価されていた各種の同業組合、なかば封建的な勢力（たとえばグレン隊、ヤクザ）、あるいは自衛隊などに対してもどのような結合の努力がなされたであろうか。そこには要求に対する一致という点以外の排除的な識別性がはたらいてはいなかったか。

労働者階級がもし自己の形式主義、官僚主義を警職法の問題としてとらえていたならば、当然にそのエネルギーは警職法改悪に反対するこれらの勢力の反動性、封建性を自己の勢力の内側に包みながら攻撃するという、相互批判の隊形をとりえたであろう。そのことによって保守勢力をとりかこむ城壁の一角は大きく崩れたであろう。自民党の内部が動揺したのは、おそらく、革新勢力がこれ以上固まるのを恐れたというよりは、彼等の下部の行動組織が全面的に崩壊する危機を見てとったからであると私は信じる。

9

それ自身きわめて単純かつ危険な対比ではあると思うが、警職法改悪反対闘争をめぐる事態を簡略化するために、次のような図式を考えることが必要ではなかろうか。

戦後十数年にわたる日本の大衆の思想的深化は労働者を中心とする機械的唯物論と、農民を中心とする観念弁証法へ対極的に分化してきた。両者が止揚されてゆくための相互作用の契機に乏しかったことが、民主主義の発展にとって一つの限界線をなしてきた。しかしながら戦争の脅威と恐慌の進行からくる精神的、物質的ゆきづまりは大衆の思想にあらたな衝撃を加え、たとえば勤評に見るような広汎な討論の可能性を作りだした。機械的唯物論は労働者の組合主義を頂点として、その極限からある政治的視野を獲得しつつある。観念弁証法は農民の精農主義を頂点として、その矛盾から部分的に当面の敵対者を発見しつつある。すなわち機械的唯物論と観念弁証法が互いにその触手を交しはじめている。警職法改悪反対闘争はこのような人民の思想に否定的契機の一撃を与えた。この闘争で大衆がその支持の広さと強さのわりに黙して語ることの少なかったのは、彼等が自己の哲学にあたらしいショックを感じたからではないか。警職法改悪反対闘争のもっとも重大な意義は勤評反対闘争の、当然の、しかし飛躍的な発展として大衆が権力と自己の思想を対置したところにある。

とすれば、この闘争の成功に酔って直ちにそれを力の均衡の変化と断定し、単純な力学的エネルギーに頼って今後の事態を進めようとする、悪しき意味の政治主義のあらたな擡頭をこそ警戒せねばならぬ。大衆はまだ決して政治的主題を政治的主題としてそのあるべき場所において理解しているのではない。自己の実感的領域と政治的理念の間にはかなりの断層がある。であればこそ彼等は、黙々として自己の課題を自己の外なる力へ委託したのだ。

この距離を埋めるために必要なことは、大衆の思想の欠落した側面をもって、彼等の部分的に成長しつつある側面をさらに前方へ向けて衝撃することであり、そのための交流を促進し、思想の回転速度をはやめ、ついに自分自身の表現と行動をうむに足るエネルギーを作りだすことである。われわれが大衆の沈黙の領域を確実な手続きで顕在化することよりほかに恒久的な勝利の道はないことを、警職法改悪反対闘争は教えている。

（一九五九年二月「思想」）

沈黙の夜を解くもの

一九五九年。夜はひとまわり濃くなった。反動法案をひとつ葬ったことで人々の頬にはかすかに血の色がさしている。停滞は破られるであろうか。しかり、破られるであろう。

というよりも私たち、無数の名もない人間たちはそれを決意している。自己の責任において事態を創造する前の、深呼吸への欲望が波うつのを感じている。

もしそれが可能だとするならば変化は「民主主義の成熟しない国では、クーデターや革命が起る」（矢内原忠雄）だの、「われわれの側の唯一の既成事実である憲法をトコトンまで守る覚悟や努力がなくて、別の方向に革命や改革を云々するというのは不真面目である」（清水幾太郎）だの、「今日のように不安定な政情と良識の欠けている政党の下においては、平素ならばなんでもない問題すらが全く予測もしないえらい事態を惹起するのである」（蠟山政道……引用はいずれも『世界』新年号）だのといったぐあいに落ち着きはらって腰をぬかした意見とはおよそ肌あいのちがった場所からうち寄せてくるにちがいない。

心やさしい博士たち、平和な知性の七福神をおどろかさないためにいうのだが、私は決してえらい事態を惹起したがっているのではない。むしろタコあげにはもってこいくらいな今日このごろの風あたりを一種の暴風とみなす博士たちの繊細さに感じ入りながら、もっとも流れのおそい部分に加わってきた新しい力を問題にしたいわけである。

といって私は労使なかよくジャンケンポンと年末闘争を打ち切ったその夜の炭鉱長屋に、待ってましたとばかりかかげられる新興宗教の高張り提灯などが現代の状況を支えるナベ底と考えているのでもない。そのような眼には皇太子が打った内野ゴロがクリーン・ヒットに見えたりもしようが、現実は新興宗教ごときがひねくりまわすことすら不可能なまでに焼けただれている。

不況のたびに「暴動が起るぞ」といわれたりしながら、眼を蔽う状況に立ち至った今日もなお湖のようにしんと静まりかえり、職を求めて動こうともしない幾百の小炭鉱の失業坑夫の群――そこから五、六十里南には家出と自殺のつめたい炎にたぎっている貧農の村々……このありふれた対位法の世界はまだ外部に爪をかけることを恐れ、警職法や安保条約を自分の内側に発見することができず、暮と正月すなわち借金と主食のことしか考えられないでいるけれども、かれらの「機械的唯物論」と「観念弁証法」は沈黙のうちに修正されはじめている。

かれらは黙々として警職法反対の実力行使をむかえた。つまり局外中立に自分を置くことによって、秤をこちらに傾かせた。かれらこそ反動から進歩への折返し地点なのだ。昔ながらの政治ぎらいという形をとった反政治的な政治感覚からぬけでることなく、その内側でかれらがさりげなく、しかも一斉に悪法に対する嫌悪のまたたきをしたとき、有史以来はじめてなやみ多き祖国が国民的な規模で部分的な勝利、防衛戦闘の勝利をかちとった。この沈黙のカードの意味を理解しなければならない。ここに現在の力関係の特徴がある。

おぼえている人も多いだろうが日華事変がはじまったとき小林秀雄が「国民は黙って事変に処した」とかなんとか利いた風のせりふを吐いた。そのときの国民が小林の算術にはまっていたかどうか甚だ疑わしいが、この図式を裏がえして方向を回転すれば、十一月五日の力の構造に近づくだろう。大衆の意識のみえない楽屋裏で、岸は一九三七年における蔣介石と同列のシンボルに「転落」してゆき、そのあげく五八年の蔣介石のイメージと融合してしまった。

しかしながら、この沈黙が顕在化しないかぎり勝利の土台が固まらないのはいうまでもない。そのために必要なことは何か。一気に顕在化をあせらず、沈黙のなかにおける大衆の意識の回転をますます早くすることである。そこに焦点をあわせることによって、すべての運動の組織的、創造的、生活的な側面を分離することなくよりあわせた、ただ一箇の場を求め、発見し、そこでの内部対立を強化することである。

例をあげよう。筑豊炭田の奥深い、ある大手炭鉱の話である。労働者の一人が酒やバクチにうつつをぬかし明日の米にも困っているという様子をみつけると、労組幹部はみずから袋を持って社宅を回り、茶わん一ぱいずつの米を集める。——うすうす御承知のように××の野郎が脱線しております。ですがもう一度野郎を立直らせてやろうという気持がおありでしたら、どうか一ぱいだけ恵んでください。そうして托鉢した米袋を男の前にどしんと置き、——やい、この野郎。てまえはいったいやる気があるのかどうか。情けをかけてくださった皆さんの名前をこれから一読みあげるから、そこに正座して聞きやがれ。てなわけでお経みたいに朗々と読みあげているうちに、しだいに男の頭が垂れてくる。涙を流して、やりますということになる。こんな男はどんなに意識が低くても、組合を裏切ったりすることは決してないと労組幹部はいう。

だれでも感じるように、これは完全に浪花節だ。しかし救済といえば労金から借りてやることしか考えない紋切型にくらべて、これが内面的な救済へ一歩肉迫していることだけはうたがえない。まして「坑内事故より、会社より、谷川雁よりこわいのは労組幹部じゃあるまいか。あいつらに一度にらまれると、とたんに暮しにくくなる」という笑話も出るくらいな状況下では、このような幹部の行動は例外中の例外といわねばならない。

私はこれを現在の労働運動のある頂点とみなすことにためらわない。幹部のこの種の行動性を放棄したところで浪花節を否定してみても、大衆の意識が回転するはずもない。その前提に立ちつつ、この幹部をして身を持ち崩した男のように低頭させる一撃が欠けている点に、目下の労働運動のあいまいさがある。

つまり宣伝はあっても煽動がない。そのために宣伝としての効用をもたないというのが現在の盲点である。右にあげた宣伝なき煽動をすら、私が高く評価するゆえんである。知識層が『世界』新年号に見るような眠気を催す宣伝からちょっぴり煽動の姿勢に移ったとき、スマートとはお義理にもいえないあの「静かなデモ」の新聞写真が大衆に与えた巨大な影響をどうかあまり自己卑下におちいらず、高見順流にいえば描写の背後に寝ることなくつかみとってもらいたい。

もし新春放談のつもりで日本人民必勝法というものを考えるとすれば、一応組織されている大衆のなかの未組織の領域と、未組織大衆のなかで刻々組織されつつある領域を照応させることで瞬時にあらわれてくる全体的感覚をもとにせざるをえない。

たとえば安保条約改定を吹きとばす方策となれば、沖縄・小笠原の八十万人を基礎にして、その一人に対し全国の各地方ブロックから一人ずつの有志を募り家族の状況から政治問題をふくむ文通のサークルを作ったらどうであろう。

さまざまの皮膜を透して濾過されるにしても、民族の肉体をしばりつけ、打ちつけている十字架の存在くらいは手もなく証明されるのではあるまいか。いや、その文通のなかみが整理され、公表されてゆく過程であたらしい人間結合の契機が続々と生まれてゆくにちがいない。この国民的交流のセンターが設けられるなら、東京という町を自分たちの首都として実感していくことも可能になる。革新政党をはじめ東京にある中央組織は共同して、そんな仕事に取組むがいい。

平和署名といい、うたごえといい、日本で大規模に動員しえた運動にはかならず一つの特徴がある。それは大衆の連帯感をまぐれあたりにもせよ刺激に刺激していった場合である。いまやその意識的な運用の季節がはじまった。

だがこのように巨視的な運動の展開の底には、かならず小さな決定的な単位が不可欠のものである。最近私が感銘したケースを紹介しよう。陸の孤島だとか沙漠だとかいわれている大分県東国東《くにさき》郡でのんびりした実験を行なっている青年たちがある。八人が一組になり、年に二日だけ他の七人に自宅の農耕作業を手伝ってもらう仕組みだ。

つまり自分は年に十四日友人の家に加勢することになる。満二十五歳をすぎて青年団を卒業した活動家たちがそれまでの結合を失いたくないとして考案したものだが、かれらはこれを「人間無尽」と呼んでいる。

金ではなく人間労働を、古い講や実行組合の形式を意識的なグループに適用しただけのことであるが、集団的な意識の前進を追求しようとすれば生産から浮きあがり、生産に密着しようとすれば個人的利害に帰着しがちな農業経営の矛盾と闘いつつ、それを止揚してゆくのにまことにうまい方法ではなかろうか。

もしこのような農民のサークルが無数に群生し、それが連合し抵抗の機能を強めることになれば農民運動をめぐる戦後の苦悩は一挙にあたらしい次元に到達すると断言してよかろう。その芽はいたるところに見いだすことができる。

一口にいえば私の意見はこうだ。中国における人民公社の経験が示すように、一九五九年の日本に必要なのは危機と高揚を同時に握りしめる精神の領域の人民公社なのだ。総合よりも分析を優位に置く民主勢力のこれまでの悪癖を思うと、ささやかな良心からする反論も多いと思うが、私たちはこれを開拓してゆく。反対者は反対者なりにおのが農場を建設されんことを希望する。

（一九五九年一月一日「日本読書新聞」）

明日へ生きのびること

組織論がはやっている。

だが、なんのために、だれのために、だれによって組織の再編成または創成の原理が語られねばならないのか。いうまでもなく、すべての現象は発展と後退の両面から見ることができる。だから、状況の曲り角ごとに「前進した、前進した」という旗を出すことができると同様の安易さで、常に「後退した、後退した」と宣言することもできる。けれども今日の事態は恐慌とおなじく不均衡な発展であって、一昨年秋、私が本紙で主張したように、組織は停滞しエネルギーは分散的に増大するという方向はなおも変っていない。組織論流行の背景はこの無形の圧力にある。警職法で勝ったのにわれながらびっくりして処方箋を書き直したりする正直太郎どもはさておくとしても、そこにはたしかに理論が状況に追いつけないというすきまがある。末端が中枢をリードしているという意味での健康さと危険性がある。

にもかかわらず、現在の組織論には陽焼けした重々しいかがやきもなければ、危機の河を渡りきろうとする沈痛さもないのはどうしたわけであろうか。運動の外から潮流をとらえようとする姿勢は、たとえどのように整序されようとも、ついにニュートン物理学の安定性を越えることができない。いや、運動しつつ運動をとらえるアインシュタイン風の発想でも、当面の事態にそれだけで充分ということはできない。今日はたして運動とよぶに値いするなにがあるのか。そこから疑ってみないかぎり、エネルギーの起源も原基形態も分りはしない。

アメリカ人にとっては今日の日本がひどく流動的な情勢にあると映るかもしれない。中国人にとってはしごく停滞的であると見えるだろう。それは外から見られた日本であり、日本の外貌がそのように分裂していることは少々たのしくないこともない。けれどもいったい日本人自身には日本がどのように見えているのか。自分の顔は自分で見ることができないわけだけれども、その実視不可能の内側でいくつかの素粒子の飛跡を追及する装置をどうして作りあげるかという問題がまず組織論の前提に横たわっているわけだ。つまり積分された、包括的な観点を主体の責任に即して発見しようとするとき、私たちは状況を否定するに足る状況としての思想運動が日本にまったく存在しないことに気づく。

それにもかかわらず日本人は存在する。その原点は存在する。民衆の思想的エネルギーは存在する。ただ、そこに接続した思想運動がないのだ。したがって問題は政治革命に先行する文化革命という課題に発展する。それなくして統一戦線はおろか、組織論の根が定まらないことになる。

いってみれば組織論の前提となる組織論がいま必要であり、それはすべての大衆運動をつらぬく基礎であると同時に、文化統一戦線の方法論でもあるのだ。歴史的類推は危険であろうが五四運動を経過しなかった中国革命が考えられないように私たちもまた革命前の革命に迫られていることを知らねばならぬ。

そして革命のこのような先駆的現象はとうてい解決不可能であろうと考えられている最大の困難に向って惜しげもなくエネルギーを浪費するときにのみ、かすかに成立するものだ。それが革命の常識である。別の見地からすれば、そもそも思想だの文化だのという概念は精神の百パーセントの高揚を前提にしてはじめて意味をもつものであって、戦後の運動はときとして百パーセントの行動主義に陥ることはあったが思想的には一貫してきわめて低姿勢であったことを、この際はっきりと自覚すべきである。

前衛なき革命が進行している。中枢なき運動が不均等に発展している。コミュニズムの側はいまなお思想的低姿勢のままでの行動的高姿勢による多数派獲得という幻想につきまとわれている。非コミュニズムの側は行動的低姿勢でコミュニズムとバツを合わせながらかくれた部分で対立感を深めている。しかし彼等もそのような態度であるかぎり、何物かに白紙委任するほかないのだ。味方の情勢はこうだ。そしていうまでもなく反動はすべて例外なく思想的に低姿勢である。最後の問題は、最大の障碍を発見することにある。なにが壁なのか。

現状のままでもエネルギーは分散された数として増大してゆくであろう。いわゆる革新政党への投票数もふえるであろう。そして大衆は心理の急所で無党派であるだろう。

十年後に社会党が政権をとると予想してもよい。だがそのとき大衆は今日以上の不信感を抱きつつ、社会党へ投票するかもしれない。その公算は大きい。この不信は共産党への信頼となってゆくであろうか。いや、大衆は社会党よりきびしい尺度で共産党を批判する。それは当然のことだ。そして共産党もまた現状の延長ではその批判に耐えないことは明らかだ。とすればこのエネルギーはどこへ向うであろうか。ファシズムか、コスモポリタニズムか。私はすでに仮定をもてあそんでいるだけである。おそらく私たちはファシズムもコスモポリタニズムも突破して、日本型の統一戦線を形成するにちがいない。それは幾度うち破られても、再建はつねに可能である。私は自分たちの世代が革命を成就する世代であることを疑っていない。けれども大衆にとっての問題は今日である。今日私がつぶれるならば、明日は私はいないのだ。そして明日までどうして生きのびるかに一所懸命である点では、私も大衆のなかの大衆である。

今日つぶれずに明日へ生きのびる道、それが組織論の目的である。そして最大の壁は、今日の組織論がそのような自己目的を大衆に伝達することができない点にある。難解であろうとなかろうと、大衆が一読してなんの痛みもおぼえない組織論、大衆の次元をひっくりかえさない組織論、あるべき組織論の存在しにくさを知らない組織論に私は興味をもたない。先日丸岡秀子さんに会ったら「金と女が出てこないような組織論はだめ」とおっしゃった。同感である。


（一九五九年四月八日「東京大学新聞」）

『城下の人』覚え書

一冊の書物から受ける反応が、こんなにも毛穴を刺してくるのは私にとってめずらしい。そしてこの衝撃を整理しようとすれば、いくつかの異なる秩序がせめぎあって、不規則ないなずまが走っては消える。明治十年の熊本から出発した人間の放浪の物語、それはいやおうなしに私を加担せしめる微妙な偏向の領域なのだ。だから『城下の人』が私をひきずりこんでいった世界は明治十年ではなかった。それから六十年後の私の少年時代、つまり昭和十年代への熊本へ私をつれもどしたのである。

そのころ私は、西南戦役に十九歳で熊本隊の一員として参加した母方の祖父とともに住んでいた。陰鬱な平屋をとりかこんでいた肉桂の大樹や山柿、金柑子、茶、桑、あけびなどの有用植物はいわば「武士の用意」にもとづくものであったろう。玄関を入るとたちまち四書五経や十八史略など平凡な漢籍を収めた粗末な本箱があり、そのふたには二十五、六のとき書いたという、

「神州の道を明らかにし、宇内の勢を察し、万国の長を取り」というふうにつづくスローガンめいた詩句がまだのびのびした感触をのこしていた。おそらく賊軍とか反乱とかの言葉に私が幼いときから親しみを持っていたのは、この良識にみちた老人を通じてであったにちがいない。私は彼を挫折した青春の所有者として眺めていたので、こちらから立ち入って当時の回想をひきだすことはしなかった。彼もまた孫に反抗の快楽を教えることは静かに避けていた。丁丑感旧会という当時をしのぶ団体があって、年に一度の記念祭には杖をひいて出かけたが、帰ってきても格別の話はなかった。「今年は何人集まりましたか。」「四人だった。」「鎮台側は何人です。」「私のほかはみんな。」「いま、どうして暮しているのでしょう。」「さあ、みんな農家だから。」このあたりで会話はとぎれるのが常であった。しかしたまには思いがけないことから彼の考えのほとばしるのがみられた。たとえば西郷南洲の作と中学の教科書などにも誤り書かれたりしている「孤軍奮闘囲みを破って還る」という七言詩を朗読していた私に、ふいに強い声をかけたことがある。「そんな詩は私は好かんな。我が剣はすでに折れ、我が馬は倒る、なんて。」それ以上、彼はなにもいわないのだが、「人生五十功なきを恥ず」といった詩句が大きらいであったところから見ると、悲壮感に無縁であろうとする決意があったらしい。戦闘中の彼の行動については、ただ一度だけ若い同輩と二人で偵察に出された話をしたことがある。なんでも熊本平野特有の凹道をこわごわ亀のように首をすくめて行きもどりしたということにすぎなかった。敗走の途中、川で水泳をして溺れかかった話もあった。激戦のさなかに頭を壕から出して狙撃する者は敵味方ともまったくいなかったそうだ、と語ったこともある。なぜ、「いなかったそうだ」とことさら他人事めかしていうのか、いぶかしく思ったが、種明しをしないのが武士の習慣であってみれば、とりつくしまもなく黙って顔色を見ているよりほかはなかった。ともかく彼の断片的な回顧談のなかには、血わき肉おどる一節も、悲惨凄壮のひとかけらもないのである。これが天皇の軍旗にむかって鋭い銃声を浴びせた青年たちの片割れなのか、と少年の私は不満であったが、いまにして思いあたるふしがないでもない。

昭和十二年であったろう。私の中学を卒業した五高生が阿蘇の高岳でロック・クライミングしているうちに墜死した事件があった。その直後の教室でこの事件に正反対の意見をのべた二人の教師があった。一人は六十歳前後の老教師で「山に登るくらいのことで死ぬのは犬死だ。あえて冒さねばならない危険はもっとほかにある」というのだった。もう一人は三十歳前後の若い教師で「死んでみればつまらないと思われることにも生命をかけてやるのが青年だ」というのである。私が興味深く思ったのは、二人とも熊本藩士の末であり、さむらい気質の持主という点で他の教師たちとくっきり区別されている者同士の考えがみごとに対立したからである。家に帰って、私はその話を祖父にした。彼は黙って耳をかたむけていたが、突然「靴を大事にしなければならない」という話をした。「もし私が中学の校長だったら、戦争がひどくなりそうなときは、皮靴はきれいに脂を塗ってしまいこませて、下駄をはかせるのだがな。」「まさか靴が悪かったから落ちたわけでもないでしょう。」私はそういいたかったのをがまんした。遠いところを見ているような彼の目つきは、生命と靴、山登りと戦争という対比のなかで、生命と山登りについて論じるよりも靴と戦争について考えることを要求していた。靴について考えてゆけば生命の扱い方も分るといっているかのようだった。また生死の問題をただそれだけぬきだして語るのは無意味だといっているようでもあった。太平洋戦争がはじまった朝、彼はめずらしく柱にもたれ膝をかかえた気楽な姿勢で長い間、空をみあげていた。「日清戦争の開戦のときもこんなによい天気だった」とつぶやいた。「日露戦争じゃありませんか。」「いや、日清戦争。」それきり何もいわなかった。数日後、彼は驚くほど精密な東南アジアの地図を買いこんできた。新聞に出てくる地名を一々天眼鏡で探し求めた。そのあげく彼がいつも独語をいうのはきまって「補給がうまくゆくだろうか」ということだった。彼は昭和十九年の春、「こんなに早く死のうとは思わなかった」といって八十七歳で死ぬまで、戦争に関する大局的批評はおろか、孫たちの士気を鼓舞する一語も発せず、しかも明倫会という右翼団体に属していたのである。

それから十年たって、戦後の民主運動のなかで挫折した青年の魂が問題にされはじめたとき、私の胸を横ぎっていくのはいつも祖父のまぼろしであった。私がずっと幼かったとき、「どうして賊軍に参加したのか」と聞いたことがある。そのときの答は「賊軍も官軍も国を思うことに変りはなかった」というのであった。「ではなぜ降伏したのか」という問には、「生きのびられるかぎりは生きて世の中に役立たなければならない」と答えた。そして官途につくことはできなかったし、政界はいやだったし、実業には不向きだったので、教育者を選んだという。彼は最初から小さな学校の校長になり、宮崎滔天を教えたりした。木下順二の祖父から招かれて伊倉の小学校に移ったとき、まだ母の乳房を恋しがるくらいの幼い滔天も彼にしたがって転校した。教え子についても彼は多くを語らなかったが、順二の叔父木下熊雄のことになると目をかがやかせた。「あれは逸材だった。学校を出てから一度も月給というものをもらったことがない。珊瑚虫の学者でいまの陛下もよく知っておられる。」そういう老人のなかで、どれだけの価値体系が組みたてられ、つぶされていったのであろう。彼は決して権威に対する反逆の論理を用いなかったが、それはおそらく長い抑圧のうちに育てられた忍耐であった。維新いらい最後の武装反乱に参加した彼はいまレッドパージされたものが味わっている疎外者としての感情を黙々と吸ってきたのである。熊本隊の一員であった彼は、いうまでもなく当時の左翼ではなく、むしろ保守的なグループの一人だった。彼の戦争参加もさほど強い信念によるものではなく、当時の彼をとりまく空気から自然に去就を定めたものらしい。しかし、ひとたび歴史の激流と自己の青春の嚙みあわせに失敗した者を待っているのは、ゆっくりと情熱を冷却させてゆく困難な調節作業である。祖父が冷やさなければならなかったものは何であったろうか。単なる不平士族の新時代に対する反逆であったろうか。とすれば昭和十年代の軍国主義はある意味で彼の復讐心を満足させたはずである。それなのに彼はなぜあの熱狂に感動の一語ももらさなかったのだろう。むしろ黙々とした関心のほかは何も示さず、徴兵を控えた孫たちを持ちながら刀剣類を道具屋に売り払ったりしたのだろう。それはひたすら情熱の冷却につとめてきた人間がもはや情熱そのものを忌みきらうようになったからであろうか。それならば、何のために右翼的な団体に籍を置き、終世神道と離れなかったのであろう。――レッドパージと党内闘争の二つの潮にはさまれ、二重の疎外者として孤立してしまった人間が六全協のかけ声を聞いても、まるで破れた風琴のように無表情に沈んでいるのを見て、私はあらためて生きながら殺されるという事実の存在につきあたり、祖父の言葉がよみがえるのだった。――私は好かんな。我が剣はすでに折れ我が馬は倒る、なんて。

生きながら殺されてはたまらない。それは自分が敗北を認めた瞬間からはじまる状態なのだ。それを認めてはならない。認めさえしなければよいのだ……彼はそう叫んでいたのだった。自分の生涯の帰結から目をそらしたかったのではあるまい。敗北を妙な美文調で表現する、その逆説的な弱さの肯定にがまんがならなかったのであろう。にもかかわらずおだやかな保守主義のうちにひそませていた彼の理想は、昭和十年代の軍国主義の美文調によってまたも裏切られてしまった。明治十年と昭和十年の「武士」を区別するものは、この美学的な生命観に対する潔癖性の有無であろう。それは私の祖父と中学の老教師と若い教師を年代順に並べてみると分る。死は形容詞と無縁である。勇ましい死などありえない……彼は固くそう信じていたかにみえる。犬死という観念もしたがって、功名心の裏返しとして排斥したのである。おだやかな保守主義は漸進的な改良主義でもあった。しかしロマンティックな倒幕運動が急に現実性を帯び、急進主義者と改良主義者に対する歴史の待遇がはげしい落差を見せ、かつての急進主義者が官僚で蔽われたとき、突如改良主義者は急進的な反抗の側へ転じた。それは改良主義そのものの変質ではなく、歴史のきわだった側面に対する相対的関係位置のしからしめるところであった。改良主義の保守的な側面からくる不満が官僚主義と激突して血みどろの闘争をはじめる――西南戦争の性格はそこにあったと見るべきであろう。いずれにせよ、本来反抗の徒と呼ばれるにふさわしくないものが逆賊として規定される、その点において祖父の受けた困惑は、彼がやむをえず反乱に参加した事情と相まって、殆ど彼の思想と信条を根こそぎ揺がしたに違いない。その後の彼に右翼団体と神道への所属をうながしたのは、この曖昧な自己規定を幾らかでも明確にしようとする衝動であると思われる。

歴史がするどい回転ぶりを示しているときには、存在の一つの側面だけが強く作用する瞬間があるものだ。そしてしばしば比較的に中途半端な存在がその局面の最前列におしだされることがある。そのとき思いがけない栄光を拾う者もあれば、水底に沈澱してしまう者もある。沈澱した者たちは歴史の体験者として、光栄を得た者よりかえってあざやかに歴史を反映する。日本の現代史にはそのような瞬間が二度訪れた。最初は西南戦争までの十数年であり、その後は今次大戦後の十年である。しかも奇妙なことに、凝縮した密度をもつ瞬間はその後の長い時間に生起する諸現象を解く鍵を与えるばかりでなく、すでにその短い時間の体内でそれらの現象を実験してしまっている形跡がある。私が明治十年と昭和十年を結ばざるをえなかったのは、その過程を歩いた老人が身近にあったというだけの理由ではない。この他愛ない敗北者の足どりのなかに、日本のその後の思想のいたいたしい運命、たとえば意識性の乏しさが行動の嵐を誘いだし、その場かぎりの急進的態度が本来の思想を混乱させ、敗北によってたちまち鎮静させられ、振子のようにもとの地点あるいはより消極的な地点まで後退し、しかもこの苦い経験を反すうしているうちに、ある種の円熟にさえたどりつく――典型的な一つのタイプを見ることができるからだ。それはリベラリズムとコミュニズムとを問わず、転向と非転向とを選ばず、知識人と大衆とにかかわらず、およそ肉眼にとらえうる思想ことごとくがまぬかれなかったリズムである。つまりそこには思想の国際性と民族性が、……というよりも加藤周一が分析したようにその国家性と民族性が、ある特別な盛衰の分岐点におかれた階層、下級士族によって能うかぎりの混乱を示してゆくみごとな見本がある。その後の知識人は彼等の混乱をひきつがざるをえなかった。現代日本の不毛と混沌とのパターンはすでに明治十年の熊本城下に余す所なく表現されている。

『城下の人』一巻の前半は作者の父を中心に動いてゆくのだが、このやや開明的な立場にある壮年の旧士族もまたその思想的特徴において、私の祖父とほとんど区別されるところがない。彼は迷信を忌みきらいながら、清正公の夢や藩主の下賜品に対する尊信を失わない。論語を学問の根本とみなして作者に結髪帯刀させながら、作者の兄にはざんぎり頭の丸腰で洋学をまなばせる。神風連、学校党、西郷方の領袖を尊敬していながら、戦争直前の鎮台方の偵察には有力な役割を果し、しかも薩軍から居住地の鎮撫使を依頼されると上機嫌で引受ける。このような彼を動かしている基準はつぎの会話で間然するところがない。

――政府では広く世界に眼をひらいてアメリカ、イギリス、フランス等の各国の事情を実地に調査した結果、今までのようにオランダの書物だけに頼って外国の事情を狭く見て来た人達と自然に見解を異にして来たのだ。こうなって来ると、不幸なことだが……神風連の人達の中には急進派に反対するの余りに徒らに新政を非難するような風潮が生れて来たし、急進派もまた神風連を時代に盲目な人達として嘲うようになったのだ。けれども国の将来を思う心は同じだ。お前達が洋学をやるにしても、あの方々の立派な人格を見習い、日本人としての魂を忘れない心掛けが大切だ。桜園先生が蘭書を読む時は、読む前に床に蘭書を置いて足で踏んでから読んだと言われている。それまでせよとは言わないが、お前達にその心掛けが必要だという意味が判ってくれればよい。

——いつの世にも同じ事が繰返される。時代が動きはじめると、初めの頃は皆同じ思いでいるものだが、いつかは二つに分れ三つに分れて党を組んで争う。どちらに組する方が損か得かを胸算用する者さえ出て来るかと思えば、ただ徒らに感情に走って軽蔑し合う。古いものを嘲っていれば先覚者になったつもりで得々とする者もあり、新しいものといえば頭から軽佻浮薄として軽蔑する者も出て来る。こうしてお互いに対立したり軽蔑したりしているうちに、本当に時代遅れの頑固者と新しがりやの軽薄者が生れて来るものだ。これは人間というものの持って生れた弱点であろうなあ……

すなわちこの会話の心理的特徴は第一に狭さに対するコンプレックスであり、第二に狭さからくる二種の偏向に対する異常に神経質な警戒心である。したがって状況認識の正不正を定めるのは広さそれだけである。広いものは正しく、狭いものは過まつ。その命題からうまれる敵への寛容はどこかに無責任さをふくんでいる。広いものが狭いものよりも包括的であるがゆえに正しいという観点はむろん平面的であるが、このような認識の平面性を支えるのは「いつの世にも同じ事が繰返される」という自然哲学であり、その背景には社会の変化にあずかる者はひっきょう一種の知的分子だけであるとする狭さがひそんでいる。生産的な進歩性とは何か。一世紀の間、日本をとらえて離さない疑問の音楽がここに流れている。この問に対して明治士族が得ていた答は、より普遍的なものが進歩的であるという一面において正しいが、他面主観的たらざるをえない解答だった。当然に、単なるより広い状況認識を普遍的法則性と結びつける契機は科学ではなくて、自分たちにとってのみ平明な倫理の骨骼でしかなかった。科学的普遍性が置かれるべきところに自分の主観が認めた倫理的普遍性を置き、科学を手段視する精神構造はある時点で軽薄な保守主義や頑固な進歩主義をうみだした。

横っ井平四郎さんな
実学なさる
学に虚実が
あるものか
キンキラキン
キンキラキンノ

ヨコバイバイ

学校党のこんな替歌は軽薄保守主義の一歩であったろうし、滔天の兄八郎を先頭とする民権党（協同隊）の戸長征伐は頑固進歩主義の一例であった。もしこの二潮流がそれぞれの軽薄さと頑固さをひっさげて正面から論争を進めたならば、おそらく日本の近代はそこから開けていったのである。だが鹿鳴館時代が訪れようとする前になってようやく「七夕など理窟にあわない祭をやっていたのでは外国人から笑われる」と古武士風の軽薄保守主義を教壇から鼓吹した私の祖父たちは、西南戦争前に熊本城に出仕していた折、時の鎮台士官乃木少佐から軽薄に「髪を切れ、切れ」とすすめられても頑固にチョンマゲを保存し続けた。その頑固さに目がくらんでか、民約論と農民闘争を結合させて暴れまわっていた協同隊はあっさり学校党と手を携えて西郷軍に走ってしまった。あわてて西下した中江兆民と前線を突破してひそかに出会った宮崎八郎が、兆民からこっぴどくその軽率を叱られたというのも故なしとしない。彼等の精神の中核にあったものは倫理的普遍性であり、それは保守と進歩の両側へ通じるものであったから、容易にお互いを許しあうことができたのだ。それは村老の次のような言葉にまで発展することができる。

——わしの家の濁酒《どぶろく》にすっかり良い気持になって、薩摩を出る時は一挙に熊本城を揉み潰す考えだったが、中々鎮台兵も強く、我々の考えは根本から覆された。何の教育も受けない若者どもも、鋤鍬、そろばんに代えて銃を執れば、立派な武士となり、我々や熊本武士を向こうに廻して見事に戦う。日本も末頼もしいことだと鎮台側を盛んに賞讃していた。どうもお侍の心理というものは判らん。

自分の弱さをとり繕うために相手の強さを武士とみなして賞讃することでかろうじてプライドを保つ旧士族の優越意識に対して、神風連の乱に鎮台兵の兄を失った女中ミサは理由のいかんに拘らず鎮台の勝利を信じる。勝って貰いたいという願望をそのまま確信に引き直す。そこには士族のそれと異なった質の頑固さと優越感がある。

だから西南戦争がふくむ状況には三つの軸がある。権力対反権力、進歩対保守、士族対農民の三種の対立である。この複雑にもつれあった矛盾を解くことは当時のイデオローグにとって至難なわざであったろう。彼等はまだ存在の重みについてのテーゼをほとんど持たなかったので、いたずらに観念を衝突させあったあげく、一挙に武力闘争という解決法をもちだした。しかもその際、農民をむしろ権力の側の要素として消極的に加算する決定的な錯誤があった。この点をいくらかでも意識していた協同隊の力はあまりに小さく、また協同隊自身が農民の要求を代弁する姿勢から出ていなかった。もし第一次長州征伐と第二次長州征伐の間にある、あの目もくらむような落差が奇兵隊を代表とする農民の武装に原因していた事実を薩軍が反長州コンプレックスによって無視してしまわなかったら、反乱は農民の武装からはじまるべきだった。それが遂行されていたなら、指導理念のいかんにかかわらず反権力―進歩―農民をつらねる単一の軸が形成されていたのである。そのとき藩閥政府の打倒はおろか、天皇制をふくめて日本のブルジョア民主革命は燎原の火のごとくひろがり完成されるはずだったと推定してよい。農民自身を武装させ、山林の既得権を守り、地租改正のために闘わせよ。ただこの一つのスローガンの有無によって勝負は決ったのである。それは鹿児島県はもとより熊本県下の山間部の貧農が反乱軍の側に傾いていたことからも察せられる。万一、反乱が敗北に終っても、戦闘ははるかに長期化し、明治政府は農民に対する重大な譲歩なくしては事態を終結しえなかったであろう。そしてこのばあい、日本現代文明にとって予測されるもっとも重要な変化は、今日われわれが逆説に逆説を重ねて眼前の矛盾に対しなければならないのに反して反権力と大衆の結合関係はきわめて順調に接続しえたであろう。

何がいったい進歩なのか。この基本的動揺はほとんど思想の生産性を打消してしまうほどの狂暴さでその後の日本をつらぬいた。それは社会の変化を一種の知識層である旧士族の内部闘争の柵内でもたらそうと試みた明治十年に基礎を置いており、わずかにその柵からはみだしていた側が勝ったのである。もし祖父が戦後の日々まで生きていたら、私はかならずそのことを彼に語って、意見を求めたであろう。だが彼の答はきっとこうであるにちがいない。「私たちが戦ったのは物質的向上のためではなかった。それに戦を大きくして関係のない者をあれ以上困らせたり、死なせたりしたくはなかった。」この倫理的潔癖性のゆえに私たちが苦しまねばならない現状を話しても、彼は笑っていうだろう。「私たちにはそうするよりほかの道はなかった。敵が少いのに、味方だけ数をやたらに増すわけにもいかない。」それはどうも戦いというものに関する或る種のイデーのくいちがいでもあるようだ。敵と味方が最終的に抹殺しあうまで存在を賭して戦わねばならない必然の関係にあるという思想は、祖父たちには薄かった。名分が立ちさえすれば降伏しても恥でないという考え方は幕末の動乱が太平期の固定した武士道をつらぬいてもたらした新しい倫理であったろう。そこには敵に対する尊敬の念が存在していなければならず、敵もまたある面において自分たちの同族でなければならなかった。もし鎮台が司令官をはじめすべて農民の出身であったなら、彼等はまるきり戦意を起さないか、あるいは一度戦いはじめたら決して降伏することもなかったろう。その意味で、彼等の敵とはまず戦うに値いするものであり、敵でありうると同時に味方でもありうるものだった。ある側面では百八十度の対立であると同時に、他の次元では九十度の角度で接しあう立体的な関係であった。この関係をぬきにして『城下の人』の逸話はどれ一つ実感することはできない。それは村老がいうように「お侍の心理というものはわしらには判らない」曲折をふくんでいるかもしれない。私自身、この本を読むまで解くことのできなかった祖父たちの言動の謎の一つの照明をあてられた思いをしているにすぎないが、それは幕府と藩制が崩壊するまでは公用の論理ではなく、直線的な忠君思想の背景に武士相互間の私用の論理としてひそんでいたものであろう。それが維新前後に公然と派閥の形をとって姿をあらわしたとき、空前の沸騰が見られたのである。絶対の命令者がなくなり、しかもなお武士が急速に死滅しながらも一つの社会階級であるばあい、彼等は未来へ何をもたらしうるであろうか。その問に対する正確な肉眼風景による答えが『城下の人』である。

私はこの中から二つの問題をよりわける。第一は百八十度にして九十度の角度が複式に成立する人間関係、それを明治士族たちはみずからのサークルの内側で確立しえていたという問題である。彼等はすべてある普遍性をめざしながら、ついにこの複式の心情を武士の外側へあふれさせることはできなかった。今次大戦までの間に、この心情は完全に死んでしまった。もしそれが死ななかったら、太平洋戦争中の残虐行為はほとんど防ぎえたかもしれない。その最初の責任は農民を隊伍に加え得なかった旧士族の倫理的潔癖性の形をとる排他性に帰すべきである。この複式の人間関係の欠落こそ現在統一戦線を阻んでいる感性的原因でもある。

第二の問題はこの複式の関係を士族たちが乱用した結果、思想と行動の接続関係があいまいになり、ひいては進歩と反動、洋法と士法という二つの軸に整理さるべき文明の座標に関する長い混乱をもたらしたという点である。進歩と反動の軸が単に文明と野蛮の生産力の差によるものでないことが日本人に了解されるまでにはアナーキズムからコミュニズムにいたる思想的訓練を経なければならなかったわけで、それを明治十年に求めるのは性急であろうけれども、この問題を武装反乱で早産死させてしまった責任はのこるであろう。昭和の論争史はことごとく日本現代文明の構造的認識にその根を持っているのは偶然ではない。西南戦争は決して簡単に権力＝進歩対反権力＝保守の闘争ではない。その渦のなかになお文明の進歩に関する根本的な課題を埋蔵しているのである。

（一九五九年六月「思想の科学」）

庶民・吉本隆明

かつて私は鮎川信夫への手紙に、「荒地」の詩はすべて生活の倫理なき倫理であり、吉本隆明の詩だけは生活なき生活の倫理であると書いたことがある。いま吉本の評論集『芸術的抵抗と挫折』を読み終って、数年前に思いついたそのキャッチ・フレエズが今度またうかびあがり、たちまち黒い砂の流れのようなもので消され、どこか遠い町の下宿屋の一角が照らし出される気がした。どっちみち私など馬小屋みたいなところで息絶えるのにまこと似つかわしい人間だから、へたに同情するつもりはさらにないが、彼もまた「封建性の異常に強大な諸要素と独占資本主義のいちじるしく進んだ発展」にはさみうちされて、せいぜい都営アパートの一角ででも朽ちはてることができたら上の部といわねばなるまい。蝶ネクタイなぞ逆立ちしてもうまくない貧乏性の世代があるものだ。その貧乏な世代の貧乏神が吉本だ。なんとかして馬小屋のかたすみで絢爛たる交響楽でも聞いてみようと苦心しているのに、妙に節くれだったやつが門口にあらわれて、棟つづきの隣家のことをわめいたり、おまえらのやっていることは幻想だぜとぶつくさいったりする。分っているよ、計算ずみなんだ、あっちへいっておくれ、ぶちこわしじゃないか、接吻を一つするから……というようなことをいってみても根が生えて動きはしない。よく見たら兵隊友達なので、「なんだ、おまえか」と肩を一つぶんなぐってみたりする——。

そういう陰微な、私的な交渉というものを拒絶しなければこの書物にはいりこむことにならないわけだけれども、だが彼の文章たるや陰気で皮くさくて骨っぽくてとぐちをならべているうちに、それじゃおまえはどうだという声がしてくる気もするので、まず同時代人としてのあいさつだけはしておくことにする。およそ彼ほど気質だの傾向だのがきらいな種類の人間はすくない。心理という言葉を使うときなどまるで蝶ネクタイをしめているみたいだ。彼のペンは笑わない。大隊長のように堂々たるかっぷくで「内部世界」とか「不定意識部分」とかの言葉が登場する。だが「分配カルテル」なんてやつを使う彼になると、ろくににぎりめしの一つも分配してもらえない二等兵の顔がうかんでくるしまつだ。二等兵にしてかつ大隊長たる吉本、本質的なあまりに本質的な馬鹿野郎……それを私はちょっぴりわが身につまされて好きである。いや、どうにも好きになれないものを何とかしたくなってくるとでもいおうか。

だがそのあたりのところは彼もまた計算ずみであるらしいことが分って、やや寒気がしたのは、この本に収められている十篇あまりの評論のうち書かれた時期がとびぬけてはやいという「マチウ書試論」であった。イエスが新約作者の創作にかかる架空の人物であり、ユダヤ教と近親憎悪の関係をもつ原始キリスト教が、被虐心理の眼鏡を通して旧約の思想を転回させたものだという見解がべつだん珍しいわけではない。それがどの程度に新説であろうとなかろうと、私の知ったことじゃない。ニイチエやランボオが人間精力の最大の盗人としてイエスを攻撃しているのもそれと遠いことがらではあるまい。私が「おや」と思ったのは次のような箇所であった。

——原始キリスト教が、いわば観念の絶対性をもってユダヤ教の意思方式を攻撃するとき、その攻撃自体の観念性と、自らの現実的な相対性との、二重の偽善意識にさらされなければならない。

——秩序に対する反逆、それへの加担というものを、倫理に結びつけ得るのは、ただ関係の絶対性という視点を導入することによってのみ可能である。（傍点、吉本）

——原始キリスト教の苛烈な攻撃的パトスと、陰惨なまでの心理的憎悪感を、正当化しうるものがあったとしたら、それはただ、関係の絶対性という視点が加担するよりほかに術がないのである。

もし法律学者やパリサイ派を戦前のコミュニストにおきかえるなら、このばあいの原始キリスト教はたちまち吉本隆明その人と化してしまうのではないか。彼がこの五、六年間に加えた前世代への攻撃をひやかして、私はそういうのではない。「マチウ書試論」において彼が原始キリスト教の擁護などひとかけらもしていないことは明らかである。彼はその後の彼の文章にもはや見られなくなったなめらかな舌でたたみこむように、いわば水泳のクロールにみられる腕の使い方で、古くなった秩序と新しく登場する秩序とのせめぎあいをかきわけていく。彼は秩序に対する人間の反応型を涙もろき良心派のルッター型、権力と離れることのないトマス・アキナス型、積極的な疎外者たるフランシスコ型に分けてしまう。「人間の実存を意味づけるために、ぼくたちが秩序にたいしてとりうる型はこの三つの型のうちのどれかである。」だがその型は要するに類型にすぎず、そのいずれも歴史の刻み目と特別に関りあうものではない。したがってそのような型にかかずらわった「思想などは、決して人間の生の意味づけを保証しやしない。」ここで彼は突然、マチウ書（マタイ伝）の作者に同調する。いや、みずからとび移ってマチウ書の操縦桿を横あいから握ってしまうのだ。

——マチウの作者は、その発想を秩序からの重圧と、血で血をあらったユダヤ教との相剋からつかんできたにちがいない。原始キリスト教はそれがどのような発想であれ、ユダヤ教派をたおせばよかったのだ……律法学者やパリサイ派にたいするマチウの作者の、蛇よ、まむしの血族よ、という憎悪の表現は……

かくて関係の絶対性という概念にたどりつくのだが、それはフォイエルバッハがヘーゲルにたいして加えた修正とどんなにちがうのであろうか。関係の絶対性は必然に意識にたいする存在の優位に達するはずだ。しかし彼はそのような認識の冷静さに頼ってはいない。彼は唯物論の第一命題にすわりこもうとはしない。拳闘家のように腰をうかせて相手の鼻をねらうのだ。彼にとって、関係の絶対性とは眼の前にあるものをたおすということだ。ただそれだけに自己を限定することだ。だが彼が初期の評論において、その後の彼の道を暗示しているのはあたりまえの話にすぎない。私の寒気というのは、彼がそのなかで意識しようとしまいと原始キリスト教に仮託された自分自身をまず断罪し、断罪することによって正当化しておかねばならなかったという事実である。「原始キリスト教の苛烈な攻撃的パトスと、陰惨なまでの心理的憎悪を、正当化しうるものがあったとしたら……」という設問に彼は答えねばならなかった。それは青春のきわめてはやい時期に、太宰治風にいえば一種の「晩年」に到達せしめずにはおかなかった時代の強圧にたいして、復讐の姿勢をとる敏感な青年の心をかならず通りすぎる疑問にちがいない。この答はむずかしい。なぜなら彼をして一挙に晩年を味わせたものも時間であれば、彼をしてなおおぼつかない青年にとどめている力もまた時間であるから。そして彼がこの矛盾に復讐しようとするとき、彼はまさにこの世の最後にして最高の強敵、時間を二重に向うにまわしているのだ。そのゆえに敗北はすでに必至である。戦えば戦うほど、彼は子供になりながら衰えてゆく自分を発見するにちがいない。円熟という理想は放棄されざるをえない。そのとき「なんじら幼な子のごとくならずば」という福音が耳にとどいたとしても、彼はそれを受け手として聞くことはできない。むしろ彼は語り手としてのイエスがまた一挙に晩年に到達せしめられたよるべない青年にすぎないことを見ぬく。とすれば山上の聴衆にとってはどうでもあれ、彼イエスにとっては「われ幼な子のごとくなりゆかざるをえぬ者ならば」であったはずである。そのとき人生は一つの仮象になる。

成熟ということが時間のなめらかな、直線的な進行によって測られなくなった人間にとって、彼の自画像は論理的には岩のように不動であり、倫理的には何物にも責任を負っていない虚無の二重相をもつ。生成の過程からいえばもはや動かしがたい座標にしばりつけられており、そのゆえに倫理的にはすべてが許されるという非人間的な存在として自分が見えてくる。だがその瞬間に、イエスのように幼な子になってゆくよりほか道のなかった者が自分の必然を他人の自由選択にすりかえて「幼な子のごとくあれ」とよびかけ、自分の運命を他人に塗りつけるという詐術、あるいは至極のエゴティズムが許されるだろうか。もしそれを認めるならば、まだ成熟しないうちにむりやりに生命の終りをのぞかせられた人間がその強制力をかえってやすやすと許すことになるのではないか――戦後の青年に立ちふさがっていた問題はまさにそのようなものであった。

時間との、敗北を見越した戦いをこのような性質としてとらえねばならなかった人間たち……それが私たちの世代なのだ。おそらく太宰治をとらえた命題もこの敗北せざるをえない時間の逆説との闘争にちがいなかったのだが、彼にとってこの不意にあらわれた逆説の原因が革命の誤謬によるのか、体制の暴力によるのか、彼の存在の特殊性によるのか、その紛乱の糸をたぐり通すことができずに渦のなかに立ちつくしたまたおれた。ところが私たちの世代にたいして、このつむじ風はもはやそのような分析の欲望をもつことがばかばかしいほどにないあわされた一撃として作用した。そのとき無数のイエスがうまれた。裁くことが生きることであった。もし裁くことをやめるなら、彼はみずからをユダとして規定しなければならなかった。初年兵として一等兵からほほをなぐられているユダ。もし裁きつづけるとすれば、彼はみずからのなかのイエスをも裁かねばならなかった。残飯をすすり、なかまの洗濯物を盗んでいるイエス――はじめて選択の可能性がひらかれた。そしてどの道を選ぶかを倫理的に規定する過去はなかった。

　関係の絶対性とは、このような時点におかれた青年の必需品であって、それ自身選びとられたものではない。人生が仮象としてしか見えなくなるまでに追いつめられたイエスを発見した人間が、自己の内部システムである「子供」と社会的な効用の指針である「幼な子のごとく」のスローガンとを混同するイエスの不純に思いいたったとき、彼はイエスを新約作者のフィクションの側からつきつめ、かえって思想の抽象性を純粋化してゆく。そしてその純粋化の極にユダヤ教にたいする近親憎悪という存在証明をおくのだ。イエスはひとりの無名の思想家ではなく、無名の思想家の記録から、おそらくは無数の狂信者の記録から作りあげられたものだ、と彼はいう。

　たぶん、ここは目立たないが重要な分岐点であろう。吉本、すなわち私たちの世代の青春のことであるが、あまりにも強い外界の規制は内部の自由律と結びあう媒介項をもたないので、関係とよびうる相互規定性を発見させない。したがってはじめての関係をもとうとするとき、いったい何とどのような関係をもつべきか白紙のままで悩まざるをえない。このような処女性をつき破るのが、眼の前にある問題の意識的側面であるか、存在としての側面であるかはその後の人間をながく支配するものと考えられる。選択の自由をもたず、その意味で外界との接触をもたない、形なき牢獄の囚人が牢獄を意識すること、それが関係の絶対性という言葉にほかならず、またそれは観念の相対性と同義語にすぎないが、にもかかわらずこの状況を関係の絶対性とよぶか、観念の相対性と表現するかには微妙なちがいがあるのだ。

それは紙一重というよりもさらに薄い皮膜の裏表であろうけれども、形式論理が弁証法へ、観念論が唯物論へと回転してゆく過程のもっとも内密な移行の段階がかくされている。観念の相対性というばあい、それは唯物論へ移行しきった直後の完了した視角があるのにたいして、関係の絶対性とよぶかぎりにおいてなお関係それ自身の物神化という主観性がぬぐい去られていない前唯物論的な匂いを漂わせているからだ。このちがいは、彼がイエスを狂信者の記録から、そしてマチウ書の作者の意識からたどってゆき、その作為と虚偽を粉砕しようとする情熱のあり方に対応する。フォイエルバッハとちがって、彼は敵が与えた条件以外のものに敵をたおす武器をみつけようとはしない。あくまで眼前の敵の手中にある敵の武器を奪おうとする。もし彼がすこし大またに歩こうと決意しさえすれば、この小さな溝はたやすく越えられたにちがいない。だが彼は唯物論に膚接する観念論の壁に沿って動きつづけ、記録と意識にたどりつき、群集と存在の側へはがんこに移ろうとしない。

この用心深さ、このしんきくささこそかえって彼の存在を照らしだす微かなともしびである。いわば彼にとってはじめて訪れた自由選択は関係の絶対性か、観念の相対性かであった。そして彼は関係の絶対性へと賭けたのである。囚人の手足から鎖が外されたとき、彼の最初の二者択一は動くか、動かないかという形であらわれる。吉本の自由意志はこのとき「動かない」と宣言したのである。

なぜ彼はそうしたのか――この衝動を理解しない者はついにいわゆる「戦中派」の内容を開く鍵をもたないにひとしい。それは弁証法の螺旋運動における二つの主要なコース……外部への「のりこえ」の論理と内部への「もぐりこみ」の論理のうち、なかんずく後者に身をもたせかけた姿勢である。外部への飛躍がほとんど不可能であった時代に異常なまでに名もなき青年たちの心奥に発達しつづけたこの弁証法の半身は、ある意味で青年たちを無敵の思想家に仕立て上げようとしていた。だが時代の創作の未完のうちに、青年をふくむ社会は敗北した。社会は敗北し、青年もまた敗北したが、半身だけは敗北しなかったのである。それがミロのヴィナスよりもさんたんたる美しさでなかったと断言するいわれはない。彼はそれが半身にすぎぬことをみずから断罪し、その美を正当化する。戦中派が戦後の波を迎えたとき、この二面性をとらえる手続きを省略しまいとする素朴さにおいて吉本の右に出る者はない。いや、はたしてそうであろうか。

「もぐりこみ」の論理は、当然に彼をして詩人たらしめるであろう。それは詩の同一の原理、凝縮の原理と共鳴するからである。けれども関係の絶対性という立場にとどまるかぎり彼の詩は、成立はしても運動することはない。彼の詩のどこか、その数行には交響楽の譜面に移された砲音と金属のかがやき――管楽器の音色がひびきわたる。だがそれはたちまち低いうめきのなかに埋められる。現在は連続しない。未来はくだかれている。そして過去だけが飛行雲のように尾を引き、飛行雲だけになり、やがて雲もちりはて、空そのものに帰っていく。髪をつかんでうしろに引きもどす、この凄じさ。しかしそのとき彼の手に残るものは何か。

証拠だけである。事故の被害者として、彼は自分を轢いて遠ざかりゆく自動車のバックナンバーに固執する。イエスの記録、狂信者の記録、それだけが存在であって、そこからしか犯罪の手がかりはつかめないと主張する。おそらくは彼自身いちはやく決議だの宣言だの論文だのをかきまわすことのむなしさを感じているにちがいない。にもかかわらず彼はそのなかにもぐりこむ。検事さんのやり口だ。刑事としてはいかにもまずい。証明する者ではあっても捜索する者ではない。

——問題は、日本における「封建性の異常に強大な要素」と「独占資本主義のいちじるしく進んだ発展」との結合という意味を、たんなる結合と解するか、楯の両面のように不可分の単一体系と解するかを、具体的な芸術思想として、また、政治的思想として見出すことにかかっている。三二テーゼは、多分に、この結合をたんなる結合と理解した傾向があり、また反対に絶対主義権力は、この結合の両面を、巧みに使い分けた。芸術的抵抗としてのプロレタリア芸術（詩）の挫折の事実が、今日もなお暗示しているたいせつな問題点は、本質的なところでうけとめようとすればここに帰着するとおもわれる。（傍点、吉本）

権力の巧みさといっても、戦前の反体制運動に比較しての相対的なものでしかないけれども、その通りだ。まさにその通りだ。だが問題をここにとどめているだけならば、それは「社会の構造の総体のヴィジョン」の骨骼をうみだすかもしれないが、つまるところヴィジョンの骨組みに終るであろう。これしきの認識を持たずにプロレタリア芸術でございなどといっていた当時のあほらしさは私なども不思議というほかはなく、いまだに狐につままれたような気がしないではないが、私はもはやそんなところにかかずらわっていないでさっさと読みとばすことにしている。読むにたえないものをしんぼうして読み、さてそれを審判する惨忍さと、眉も動かさず踏みつぶして進む非情さとはどちらが普遍性を持っているのかよく分らないが、倦怠の処理法として見るときはおのずから優劣があるだろう。

たしかに往年の弁証法は蛙みたいにやたらに外界へとびだそうとするばかりで、内部へのめりこむ力で相手を打つというビックリ箱の原理すらものにすることができなかった。この点でわずかに水準をぬいた者とては中野重治と花田清輝の二人しかいないし、それもたかだかビックリ箱ていどであってみれば、吉本が過去を矮小化しようとする気持は分らないではないが、さりとて私は吉本のいうように中野がその芸術論のなかへ「予定調和のように階級的視点を密輸入している」とか、花田が戦時中、資本制社会の枠内における単純再生産の基礎確立を唱えて「生産力理論に転落した」といった読み方にどうも賛成できない。中野にしろ宮本百合子にしろ、私が文句をつけたいのは、たとえば恋愛と革命というようなくだりになると、あっさり政治上のプログラムと芸術上のプログラムを使い分けてしまって、いっこうに予定調和もしなければ密輸入もせず、しごくきまじめに段階を踏んでゆくことだ。むしろ彼等に欠けているのはさらに徹底した一元論、政治と芸術が男と女のように抱きあっている濡れ場ではないか。――花田のばあい、「現代の課題は、資本制生産の枠内において、まづ、いかにしてこの単純再生産の基礎を確立するかにあるのだ。」（傍点、谷川）と書いてあるので、何もユートピア社会表式を資本制社会の枠内で実現するつもりはなさそうである。いってみれば改良主義的要求を一定の計画のもとで戦う組織を作れということと変りはなかろう。労働組合を作れとでもいえば簡単に分るかわりに、すぐ捕まえられてしまう世の中で、こんなまわりくどい表現を弄してみたところがしょせん労働者の耳に届くはずもなかろう。だからこそユートピア論にふさわしいといえるけれども、私は花田がいちはやく修道僧のように隠遁して、人生の深読みと「危険ごっこ」に熱中しているのをいくらか悲惨に思っている。彼もまた時間に見棄てられているのだ。

私などはまず平凡に、中野には北国のいっこくな百姓の、花田には八丁堀の浪人のイメージをあてがっておき、気の向いたときだけそのまわりを捜索することにしているのだが、いったい吉本はいつまでこのくそ面白くもない無機的な過去を掘りかえそうとするのか。戦前派の理論の誤りなどは彼等の存在のあやふやさにくらべればものの数でもなく、そのあやふやな存在様式の反映にすぎぬ彼等の理論は指一本あげるほどの大事をも起さなかったのだ――という一面を彼はどう考えているのであろうか。

なるほど蔵原理論が小林多喜二を殺し、小林は「ハウスキーパー」をペン先でじゅうりんしたかもしれぬ。だが『蟹工船』は蔵原論文よりも光彩を放ち、「ハウスキーパー」たちは小林よりも執念深く生きのびる。加害者は復讐されることが必至である。そのゆえに加害者であるのだ。前衛党はその理論の誤りによって殺人罪を犯す。それは事実だ、だがそれは復讐されうるものだ。しかし世の中には復讐することの不可能なものがある。たとえば化学治療剤と外科手術の術式が発見されなかったために、みすみす毎年十万人以上が死んでいった過去の結核患者のようなばあい、その発見の遅延に責任のあるすべての医者たちはどのように罰せられるだろうか。彼等は科学の進歩に浴びせられる祝福によってしか罰せられない。そのばあいにおける遅延という問題の倫理性は永久に死者とともに埋葬される。なぜそれを告発しないのか。告発する道はあるのか。告発することによってどうなるのか。——隣りのおやじや向いのおばさんから手をふられて軍隊へ入った私たち世代の怒りというものは、この復讐できないがゆえに告発しなければならない対象への怒りではなかったか。その一人としての自分自身への怒りではなかったか。

吉本が「マチウ書試論」において、その後の吉本自身と見まがうばかりの「原始キリスト教」の存在理由を追及しなければならなかったのは、決して未来にそなえるための地固めというがごときポリティックではなく、まさに彼自身に内封せられた復讐不能の領域をあばきだすことではなかったか。それをするために彼は束縛からの自由、賭けの開始を告げられた瞬間に「関係の絶対性」という地点で佇立したのである。だが見よ、彼は静かに動きだした。彼は庶民のなかの所有意識、支配意識を縦横無尽に打つ第一義の攻撃目標をずらして、「前衛」のなかの庶民意識をあばきだす二義的な目標に集中した。そこに私たちの世代の問題にたいするすりかえがある。それが無用だとはいわない。だが容易なことだ。あまりにも容易なことだ。「前衛」を下から、後の世代からつきあげる勝負はまける方がどうかしている。「いや、つきあげることではねかえる力を利用したかったのだ」と彼のために弁明するのは嘘であろう。なぜなら彼のいう関係の絶対性は二つの当事者がかならず同一平面に立つことを前提にしているのだから、もしはねかえる力の行くさきである庶民と同一平面を保とうとすれば、「高村光太郎論」や「前世代の詩人たち」に見られたような庶民意識の単純な全面否定はありえない。

戦争中の向う三軒両隣りはおそすぎる医者たちと同じく、私たちに大気・安静・栄養療法それのみを指示した。彼等は路傍に立って手をふるだけで私たちを死地に送りこんだ。その消極性にひそむ小所有者意識、それだけが庶民のすべてであると規定するならば、私たちは庶民を祝福するか呪咀するかの道しかない。それは純粋な侮蔑の形式であり、それによって私たちは自分の存在の証拠をいん滅し、庶民との関係を断つよりほかはない。「マチウ書試論」にはこのような方向への企図はみじんもみられない。にもかかわらず彼はどうしてその後の攻撃を一段階軽いところにあてたのであろうか。『芸術的抵抗と挫折』の一篇ではその辺のところはかなり大きく修正されているけれども、彼が提起した戦後責任という問題は庶民そのものの断層に爪をうちこまなかった点で軽々としたものになり、戦後意識の「早激的」終末をまねき、奇しくも彼に一つの戦後責任を負わせることになったのである。

原因はやはり「関係の絶対性」という概念の観念的側面にあったというよりほかはない。記録から、文書から、論理から、リーダーシップから攻めたててゆく関係の作り方はたしかに物証を基礎とする実証性をもつとともに、それは「もぐりこみ」の論理を平面的にし、下降させない。論理の下降とは別の意味で論理の秩序の解体および再編成であろうが、その再編成の基準が発見されないとき、いきおい人間は解体への不安にとりつかれる。現在の平面を保ったまま、眼前の敵にとびかかるというとき、私たちがその不安を内包していないかどうか。すくなくとも攻撃の前には一度それを点検すべきである。「マチウ書試論」は結果としてその不安の正当化に終っている。

なぜか。その理由を吉本の意識のオートマティズムからというよりも、存在の反映から照らしだす箇所が一つある。

汝と住むべくは下町の
水どろは青き溝づたい
汝が洗場の往き来には
昼もなきつる蚊を聞かむ

という芥川竜之介の「澄江堂遺珠」の一篇を引いて彼はいう。

——この詩には、芥川のあらゆるチョッキを脱ぎすてた本音がある。芥川が、どんなにこの本卦がえりの願望をかくしていたか、を理解することができる。下町に住んだことのあるものは、この詩の「溝づたい」からどんな匂いがのぼってくるかも、「汝と住むべくは」とかかれた家が、格子窓にかけた竹すだれをとおしてみえる家の中に、下着一つになった芥川の処女作「老人」や「ひょっとこ」の主人公のような、じいさんか何かがごろっと横になっている家であることを直覚せずにはおられないはずである。

ここにくると、私は中野重治や宮本百合子や佐多稲子や花田清輝や吉本隆明が一室にたむろして、おもいおもいの姿勢で西瓜でもたべている光景がうかんできて、さてはわがゆくてもしょせん借家住まいの「中産下層階級」であろうかとあごをなでざるをえない。それほどこの文章の私小説的タッチは正確であり、私の知っている楽寝のじいさんと吉本のそれとをくらべたくなってくるのだ。おそらくそのちがいは私のじいさんの足の裏がすすけてひびわれているのにたいして、吉本の方のはやや白々としているくらいにすぎまい。けれどもこのちがいは吉本がまだ日本の不可触賎民というものにつきあたっていない環境の不幸をまざまざと語っているように思われてくる。

吉本は、芥川が本卦がえりの願望を抑圧しつつ、出身階層への自己嫌悪の上に立って造型的努力を持続させようとし、それに失敗したことを吐きすてるような筆致で書いている。ここにも彼の近親憎悪の念が支配しているのであろう。

――彼がはっきりと自己の造型的努力に疲労を自覚したとき、自己の安定した社会意識圏にまで、いいかえれば処女作「老人」、「ひょっとこ」の世界にまで回帰することができたならば、徳田秋声がそうであるように、谷崎潤一郎がそうであるように、永井荷風がそうであるように、室生犀星や佐藤春夫がそうであるように、生きながらええたはずだ。そのとき芥川は、「汝と住むべくは下町の」世界に、円熟した晩年の作品形成を行ったであろうことは疑いを容れない。

これが日頃あれほど観念的なまでに理想主義的である彼の、芥川にたいする処方箋であろうか。それは単調な死刑宣告と変りはない。芥川の大知識人ぶりはこっけいだが、吉本がかつて不可触賤民のそれもふくめて一蹴した庶民意識への回帰をすすめるよりほかないまでに芥川の運命が絶望的であるならば、では三十年後の東京小市民の運命はいかにして切開可能であるか。小市民が革命的インテリゲンチャへ転化する道は資本主義のいついかなる時点においても存在するはずだ。芥川にたいする吉本のあまりに気軽な宣告は、彼が庶民との断絶を強行せしめられた「戦中派」の優位をすこし早まって信じ、未来の世代と自分の直線的な接続を楽観しすぎているからであろう。

正直者ほど大きな賭けをする。彼が現実との断熱膨脹を意図する気持は分らないではないが、庶民に回帰しまいとする者こそかえって彼のいう意味における庶民の刻印である。彼ははたしてどぶの匂いと格子窓の竹すだれを卒業してしまったのか。彼がなお充分に庶民であったときの「マチウ書試論」はほとんど貴族的といってよい文体の光りをみせ、彼が「関係の絶対性」に沿って上昇し、前世代の「前衛」たちと対決するときは奇妙に私小説の味気なさをともなって散文化する。この循環をやぶるためには、自分のなかの庶民的な形をとった所有意識へ否定的回帰をくりかえし、そのなかにもぐりこんで柵の外へぬける、芥川的知性では卑怯としかいえぬ脱出路を精密に探求しなければなるまい。牢やぶりに紳士の体面などはくそくらえである。吉本は期せずして、記録を残して肉体をほろぼす方法で自分の住民登録を消そうとしているかにみえる。むろん吉本に系図を買う根性はない。しかしそれはやはり自分にたいする証拠いん滅の姿勢である。この方法で住民登録は消せても肉体は残る。肉体の戸籍をのりこえるのは町や村の不可触賤民をなぐりつける署名のない思想だけだ。その方へあゆむことが私たちの世代の存在証明なのだ。それこそ無敵にして暗黒な領域を存在の側から裏づけ、それを照らし、それへむかって復讐しがたいとおもわれた私たちの復讐をはたす道なのだ。吉本の道はその決意にはじまりながら、いつのまにか断たれようとしている。

（一九五九年九月「思想の科学」）

私はロルカを買わない

男は男の運命をたどって殺しあい、死ぬ。女は女の運命をたどって生み、ひとりぼっちになる。「血の婚礼」は、その単純な理念のうえにふりまかれた花々の香いである。人々は劇でない、劇のかたちをとったものを読み、そこにロルカの劇をみる。そしてスペインだ、情熱だ、死だ、刃物だ。私はすこし退屈になって、小さなあくびを噛みころそうとする。

これは劇ではない。といえば、やや毛色の変った劇、型やぶりの劇という意味に受けとる人があるかもしれない。しかし私は、ロルカが設定した条件は劇として不具だと言いたいのだ。もちろん、彼自身劇を作ることに初めから熱心ではない。花婿の母は花婿に対して、彼の父や兄を殺した一族が、花嫁とある種の関係にあることを知っておりながら、花嫁がその一族の男から奪い去られたあとまで、事情を説明しようとはしない。なぜ説明しないのかという理由も出てこない。人間相互間の因果律に対して、ロルカは無関心である。

したがって彼は、宿命という形而上的観念に腰をおろそうとしているかのような疑いを一瞬抱かせる。人間と人間の関係ではなく、宿命と人間との関係が主題であるかのように、ある種の人格化を受けた抽象、月や死（乞食の女）があらわれる。善意はあっても悪い力を見ずにはおれない女中が、舞台回しの役を演ずる。けれども、これらの要素はついに劇を発展させる因子とはならない。宿命と人間の関係がドラマの領域に入りこむためには、宿命それ自身が、かすかなりとも変化しうるものとして震えなければならないが、そのような矛盾の旋律は、ここではまったくきこえない。

宿命と宿命に反するもの、そういう価値観の相剋はここにはない。逃げだした花嫁もまた、それが他の男へ走り去ったのではないこと、ついには死せる夫の家に独りあるべき自分を予知していた者として描かれている。あるものは、ただ大地と血の循環である。それはたしかに一種の認識ではあろうが、同時に認識の価値を否定する性質の認識である。価値なき因果律である。では彼にとって、価値なき因果律の価値を否定することもまた容易であるはずだ。

しかし、彼は形而上学を否定するが、その否定の刃は動詞というもののもつ歴史的意味まで突き刺してしまう。それはおそらく追いつめられた人間が、もはや賭けようとする意思を失ったときにあらわれてくる心理だ。エンゲルスが自由とは必然への洞察であるといったとき、彼は必然か偶然かという賭けをしたのであり、その賭博こそは彼の自由の全部であったわけだが、ロルカにはその賭けがない。血は流れて大地に吸われ、大地ははらんで血を育てる。……それだけ、ただそれだけでは初めから何もないのと同じではないか。それは人間にとって、なにがしかの自由であり、また自由の制限でありうるだろうか。私の答は否という方へ傾く。それは一種の自然観ではありえても、価値観ではないのだ。そしてこのような自然観に十分にとらえられた人間を何と形容したらよいだろう。彼は自由を制限する何物ももたない囚人にたとえることができる。みずから作りあげた牢獄に坐っている死刑囚に。彼は生きながら殺されていた人である。

ひっきょう、彼の瞳に残るものは永劫回帰の虹でしかない。したがって彼はかなり強度な色彩派である。全作品ことごとくデコレーション・ケーキの上にかけたクリームの色である。彼の支持者は、これをスペイン風の駄菓子の野趣と解しているが、もしそれを肯定的にうちだそうとするのなら、すくなくともメリメくらいの冷たさは必要ではあるまいか。これをアラゴンのすこし安定しすぎているが精巧な金細工や、ネルーダのそれにもまして緊張した燻し銀の鋳物にくらべると、どうもこれは紙燈籠程度の細工である。月だの枝だの川だのと簡潔な素材をよく使い、そこにちょっとしたひだのある発見がないではないが、収縮しない筋肉のような塩分不足は蔽うべくもない。散文的神経しかもちあわさない人間が「これこそ詩だ」と手を打って喜ぶような俗流詩人のたのしさはあるにしても、プレヴェールに遠く及ばぬ。

彼は自分を制限し、追いつめてくる時の階段のかすかな刻み目を見失ったのだ。それほどまでに切迫していた三十年代のスペインの空気が、そこに見られないではない。大地と血の輪廻、その単調なくりかえしのなかに悲劇がないとはいわぬ。そして私たち東洋人には至極陳腐な、このような自然観がカトリックの風土におけるファシズムの擡頭のなかでは、彼の眼に新鮮な刺激でありえたかもしれぬ。しかし果してそれは彼の作品にひざまずく者たちがいうように、民衆と闘争と革命へ直流するものであろうか。

私たちには陳腐だといった。そうではないか。動乱の時代にいささか敏感な美意識をもった人間たちは大した苦労もなく、このような自然哲学にたどりつく。平家物語の作者を動かしていた食欲は、それではなかったか、戦争中の青年たちはここに住んではいなかったか。いや、ロルカを動かしているのは美意識という病める衝動ではなく、もっと原初的な感覚だという人があるにちがいない。よろしい。かりにそれを肯定することにしよう。だが、それならばもうひとつ証明してもらわなければならないことがある。

原初的な感覚、アルファベットのAというような単純で力強い驚きは、それだけで充分に階級的でありうるかという問題である。それは感覚の根源は何かということと結びつくであろう。もしこの点があいまいに打棄てられるならば、美と革命に関するプレハーノフ的二元論はくりかえし私たちを襲ってやまない。感覚、それだけでは階級性による世界の包囲が、ひとまわりもしないとすれば、当然に芸術はそれ自身では完結しない。それは芸術以外のあるものによって支えられるときはじめて完結する。また感覚がそのなかに感覚を越えるものを内包しないままで原初的でありうるならば、芸術は究極的に現実変革のエネルギーおよび運動と分離する。平たくいえば創造上の政治主義と芸術至上主義のどちらをも否定するためには、感覚の出発点そのもので最初にして最後の勝負がついていなければならぬ。そのあとにも無数の迷路はあるだろうが、しかし常にここに立ち帰って方向規正を行うかぎり迷路はかならず解けるだろう。それが詩の確信というものである。

すなわち私は感覚の原初性は政治主義と芸術至上主義を同時にうち破るものだと信じている。ただし、私の規定によると感覚の原初性とはつぎのようなものだ。人間の二種類の生産、人間による人間の生産（繁殖）と生活資料の生産（労働）とのあいだにある種の回路が知覚され、そこをエネルギーが可逆的に交流するときに生まれる刺激をそう呼ぶのだ。つまり繁殖と労働、愛と革命の同時成立が認知されうるエネルギーの初発の状態をのみ、私は原初的な感覚とみなしている。

ではロルカの主題はここに根ざしているだろうか。否、彼は回路の建設の可能性を示唆していない。にもかかわらずロルカの詩句はここを無意識のうちに目ざしているだろうか。否、彼はカナリヤのように鳴くけれども、労働の手触りは小姓のように控えているだけで王妃を求める王の椅子にはつかない。したがって彼の言葉はただその位置から蒸発するだけだ。

回路が見えない者は殺しを好む。なぜなら彼はすでに殺されているのだから、それ以外の解決には到達しないのだ。もとより私は倫理派ではないが、「碧色の瞳と菫色の声をもつローラ」だの「緑、緑、なんて私はお前が好きだろう！」だのというような言葉を吐く男は絶望しなくてもよいときに絶望している男にちがいないから、私はいささか警戒的になる。炭鉱町で暮している私は酒場における警戒心が酒の味を落しはしないことを知っているけれども、早まった絶望からは逃げるよりほかに手がないものだ。感覚のバランスシートにはかならず「弱さ」という項目があって、その弱さをどのように逆用するかということが強者の強者たるゆえん、いわば奥の手であるが、絶望した人間はこの弱さを一回裏返すだけで、たとえばローラや緑に接吻しながら毒づくことを忘れないだけの粘りをもたないために、見る者をして退屈させてしまう、ある種の生命の機械化からまぬかれることができない。

先夜加藤周一と話したとき、彼は「ロルカは芸術至上主義者ではないから、決してファシズムの方は向かない」と断言したけれども、私はロルカのイメージの回転があまりにものろくさいので、ひょっとすればという気にならないでもない。機械的唯物論を一度だけ裏返せば、それはロルカの美学になるのではないか。そして回転をやめた美学は、芸術至上主義であろうとなかろうと、それはあくまで機械にすぎない。「足の裏からのぼってくる」「ドゥエンデとの闘争」ということを彼もいっているが、私にはほとんど彼がドゥエンデにつかまれたままでいるような気がしてならない。もちろんファシズムはドゥエンデそのものではないであろう。しかし「暗い声の根がしどろもどろにわななくところ」へ電話線ではなくて刃物がはいってゆく想定は、どうも反ファシストの姿勢ではない。刃物というやつはそれほど深いところへ届くはずはないのだから。

私はぶどうの会の舞台について書くつもりだった。それにはいくつかの不満があった。日本人の詩の朗読のこっけいな習慣とか、詩劇の可能性がほとんど逆説的にしか成立しないほど狭いものだという私見とかを書きならべてみるつもりだった。けれども刃物などにはくらべるべくもない組織のはげしい生産力を疑う風潮がひろがるにつれ、たやすく絶望した人間たちがロルカの笹舟に乗って流れを下ろうとするのをみると、石のひとつくらいは投げておこうという心がけが起きた。組織への絶望と甘美な色彩の握手、その手はもう古い。

（一九五九年五月「テアトロ」）

女たちの新しい夜

風俗や法律、またあの永遠のなんとかとかいうやつに沿って女にふれることはごめんをこうむろう。私が語りたいのは、ちかごろ経験するかすかなおどろきである。それはまことに平凡な事実じゃないかと何度も自分をなっとくさせようとするのだが、そのたびにごうごうと風が吹く思いである。これがどこへ行きつくのか、私にはまだはっきり分らない。けれども、おそらくそれがいまだかつて見たことのないものをうみだすのは確実だという気がする。

炭鉱の主婦たちがひとしきり塩から声でわめいたのち、ぽつりと滴らせるつぶやきであるわけだが、——私は数年前から主婦会の役員になって会議をしたり、方々へ出かけたりするようになりました。はじめのうちは珍しいことばかりで夢中になって新しい空気を吸いました。新聞の記事がどんな立場から書かれているのかというようなことがすこし分るようになって、気がついてみると、私の夫は十何年も坑道にもぐって、上ってくるとすぐ風呂、それからさあショウチュウ、晩飯、そしてごろりといったあんばいで、私の方がずっと世の中を広く見わたしていることになるのでした。だが夫がそうやって働いてくれるおかげで、私も子供も安泰だし、こんな仕事がやれるのだから、いま私が急にこのごろ見えてきたものを話したら、夫はかえって気ぬけがしたように悲しむのではあるまいかと考えました。それは私は当分だまって母親のような温かさで彼をいたわってゆこうと決心しました。そうやってもう二年になりますが、最近では、これはどうも嘘っぱちじゃあるまいかと思わないわけにはいきません。私は夫と別れたがっているのではありません。しかし愛しているともいえないような気がします。私たちはいったい夫婦なんでしょうか。

——私はサークルをいっしょうけんめいやっています。夫はそれにも理解があるし、ずいぶん親切にしてもくれるのですが、私は夫に感謝しながら、いっしょに寝るのが苦痛です。三番方で夫がよる家にいないと、ホッとするのです。

——私の夫は、私のやること話すことは赤だ。おれがついている間はなんとかなるだろうが、おれと別れでもしたら、たちまち正真正銘の赤になり、路頭に迷うにちがいない。いまでも、だんだんそうなっていっているというのです。そんなこと、私は何にも知りません。でも私は生きがいのある方にしか、歩きたくない。

——私は夫と三度ほど大げんかをやりました。二人とも組合大会に出たがっていたとき、私の方は出席しなければならない用事があったし、夫は傍聴を望んでいました。けれども子供がいてどちらか留守番しなくてはならなかったので、私は夫に残ってくれといったんです。それから口論になり、とうとう二人とも欠席して徹底的にやりました。そんなことが三度ほどあって、いまではすごく仲がよいのです。すばらしい夫だと思っています。それなのに、何としたことでしょう。ふっと時折、私に夫も子供もいなかったらなあ、もっともっと活動できるのになあという心がきざすのです。そのたびに、あ、これはいけない考え方だと思いますけれども、極端にいえば「亭主なんか死んじまえばいっそせいせいする」といった気持がないとはいえないのです。愛していながら、その者の死を願う。これは私がエゴイストの見本だからでしょうか。

こんなとき、特別まっこうから否定するような発言はきかれない。最後のことばに、にこにこ笑ってこっくりした五十くらいの老女もいた。もちろん、これと正反対の方角から出てくる、普通の婦人会なみの発言もたくさんある。しかし、その人々と前の発言者たちとはあきらかに対立する次元に立っており、私の磁針が両方をゆきつもどりつすることはない。危険な発言者たちをまず炭鉱主婦の先進分子とみなしてまちがいないことは、彼女たちの行動に照らしあわせるとき、百人中九十九人まで認めるだろう。彼女たちに一種の反道徳的姿勢でしか切りひらけない荒野があることはしごく当然なことだと思う。

古い炭鉱地帯にはまだ坑内労働の経験をもつ女たちが忘れられたカンテラのように残っているが、周知のように坑内では人妻も娘もさほどきびしい形では特定の男性に結びつけられてはいなかった。一歩坑外に出れば、そこでは世間と変らない戒律が認められていたけれども、坑内ではとりわけ労働だけが最初にして最後の原理であったわけだ。この世界の美しさは醜さといっしょに、現在の炭鉱の主婦に引きつがれているとはいえない。すくなくとも眼にみえ、手にとるような風には残っていない。にもかかわらず、最高の原理を、ただそれだけをたっとぶという気風はなおかすかに彼女たちを染色しているのではあるまいか。

そして女たちが労働の原理をすこしずつ消化して、それを変革の論理へ発展させてゆく過程で、世界じゅうの道徳を敵にしなければならなくなるのは、それらの道徳がすべて女たちの労働を踏みくだいてきたものである以上、男として手をつかねるよりほかはないといったていのものである。いや、むしろ私が彼女たちの発言をさわやかに感じながら、呆然たる困惑のなかに立たされるのは、それを男の発言としてきくならば、なんのことはない、ただの封建性のあらわれにすぎないものが女の場合あざやかな進歩性に結びついているという奇妙な対応関係である。だが果してそれはまことの対応であろうか。彼女たちの世界に対応する男性の場というものが現在どこにあるだろうか。

彼女たちは愛と革命を同義語にしたがっている。エンゲルスによれば、生産には二種類のものがあり、一つは人間そのものの生産すなわち繁殖であり、もう一つは生活資料の生産である。存在が意識を決定するという命題から見るとき、愛は人間の繁殖に、革命は生活資料の生産に土台があり、人間の繁殖の上に立っている愛の体系全体は革命の体系に土台を見出すだろう。そこまでは誰でも考える。しかし弁証法は片道通信ではない。存在が意識を決定するという土台を一次的なものとしながら、逆に意識が存在を決定する反対のコースが土台にむかってはたらきかける。文化創造のコースは主としてその逆コースを順路としている。したがって愛が革命にはたらきかけるコースは、客観的法則の認識を失わないという条件づきで、ひとつの物質的な正当性をもっている。だから、物質のエネルギーが人間の脳髄に達し、そこから客観的な世界へのはたらきかけとして折返すとき、その瞬間に人間としてのエネルギーがはじまり、愛は革命の土台となるのだ。……ところが、性愛を革命の土台とみなすことに対するおそれはするどく男性の唇をみつくちのように割いている。

彼等の一部はいう。愛情の問題が解決されるのは社会が変ってから、その次の段階なのだ。それまでは革命に役立つものが正しい愛なのだ、と。もちろん私たちが人間と生産の一体性をかちとるまでは、ゆがみのない愛を考えることすら夢物語といえなくもない。しかし、そのような愛を思い描き、もだえることなしに、いったいどんな革命のイメージが生まれよう。この意見は、しばしばサークル活動家を「サークル主義者」とののしり、サークル活動よりも政治活動や労組活動を価値あるものとみなす誤った政治優位論に対比することができる。それは毛沢東の「文学は政治に従属する」という命題の決定的な誤解であり、美と階級の分裂というプレハーノフ的二元論に通じるものである。政治への従属とは方向規定を指すのであって、価値の段階ではないことを銘記すべきである。さらにこの方向は政治の自己運動の中から直線的にうまれるものでもない。いわば政治そのものを否定しようとする政治のなかからしかうまれないものである。愛とはつねに古き愛を破壊する心であり、革命とは二度と革命を求めない最後的な運動である。その相互関係を内面的に一致させようとして苦しむことのない力学を、単に土曜が来なければ日曜はこないという機械的な段階論を、どうして変革の論理などとすましこむことができよう。彼等はいつまで経っても「それまでは」なのだ。「それまでは大衆の常識にしたがい、大衆の信頼を得なければならない。」苦しむことの無用な常識のかたまりとみなされる大衆に幸いあれ。

政治は政治、愛は愛。どうもそういうことではないらしいと理窟づけるまでもなく、何かが変るということは二種類の異なった、現在では対立的な生産の幹が深いところでは同じ根であることをみつけだすことであり、そのために彼女たちが動きはじめたのはまちがいない。つまり、彼女たちは産むという言葉を二通りに使えるなどとはゆめにも思っていなかったのだ。彼女たちにとって創造と労働とはまったくの同義語でなくてならないはずだった。もはや坑内で働くことを婦人の保護という理由で許されなくなって久しく、妻たちの世代は変り、いわば家庭でしか夫と坑内労働を共有することのできない主婦たちは、危機にみちた坑内労働のなかで、彼女を先導する男がその瞬間における夫であったように……ネギを刻むことと石炭を掘ることが同一の次元であるような、自分たちの頭上にきしむ荷圧や降りかかる硬石《ぼた》を確認したかったのにちがいない。そういう夫を求めたにちがいない。けれども彼女たちが自分のなかの炭鉱を確認してゆくにつれ、夫はそれを炭鉱とは認めていないという事実を発見する。愛を求めて、愛を失ってゆく。そこで彼女たちは首をかしげて立ちどまるのだ。「私たちは何を得たのだろうか」。何も得ていない。男ならば、孤独を得た、認識の眼をもったというだろう。だが女に孤独というものが何かの意味をもつだろうか。そもそもはじめから孤独であり、子供を産むことすら一般にはより純粋な孤独のなかに入りこむことでしかない者たちには、孤独を得たとは空気を十キロもらったということにひとしいではないか。

にもかかわらず、彼女たちは出産の朝に似た寒冷な空気のなかで強まりゆく孤独をものさしにするとき、夫たちのすべての組織はもちろんのこと、自分たち自身の組織さえも、それが何ひとつ組織しないこと、官僚主義すら組織しないことを発見する。愛と革命の根が一致すると確信できるためには、すくなくともその必要を水のように求める多量の男と女がいなければならない。しかるに、男たちは女が官僚主義すら組織できないという部分を、あたかも官僚主義をつきぬけたその前方にのみ真の組織があるという風に責めるのだ。そこで、女たちにニヒリスティックになることが組織的なのだと思いこませる力がはたらく。主婦会が男たちの組織に似ようとして努力すればするほど、石ころ同然の静止状態におちいるのはこの種の倒錯に原因がある。だって私たちには主婦会すらありません、というのは論理として成立たない。このような状況の組織は女の体内に入った異物にすぎない。全繊の御用幹部のようなものだ。ちがっているのは主観的に意図する方向が逆であることだけであろう。

それは女が自主性をもたないからだというようなまやさしいことではない。女たちが戦えばますますゼロに近づき、組織は彼女たちをゼロへ追いこむ作用すらもたないという事実は、むろん女だけに責任があるはずもなく、さらに女の裏がえしとしての男が単一の性として責任をとろうとしても、それもまた不可能である。問題は男と女の関係そのものにあるのだから。

男にとってみれば、事態はこうなのだ。すべての言葉、すべての形式が自分自身の性をもとにしてできているので、それから脱出しようとしても次の部屋、次の着物が待ち受けている次第で、開放された場所や裸体がどこにあるのか分らなくなってくる。ただ打破るべき方向だけがどうやら見える気がするのだが、古い壁をこわすために古い道具もまた使えないことはないということになる。したがって男がある種の職制であり、問題の核心をいつも前方へひきのばす日和見主義者であるという女たちの批判は当っているし、当っていない。女と同じように、運動のなかに性を発見できない、すべての運動に男性のしるしがついているのでそれを性のしるしと思えない男性もいるわけだが、彼の内部ではすでに二種の生産がとほうもない距離にひき裂かれているため、労働と創造と愛の次元が結びつく場というものを実感的に空想することもむつかしくなっている。理解しても手ざわりがないとなれば、いきおいその場への関心が深くなるほど、もっとも真剣な姿勢のままで一種のあそびに接近せざるをえない。もしそれを嫌うならば、彼は創造性と切離された労働万能主義、単なるイデオロギーとして硬着した観念の叫びに終るのだ。

男が理解できるのは論理の方向だけだ。彼に存在する手ざわりは、自分を密室へおしこめる敵に向っているときだが、ひとたび自分の下方へ向おうとすると、はてしない無の竪坑がのぞいている。その奥に光っている女たちの眼に対して、彼は論理の綱を投げてやりさえすればよいというのか。救うことしかできない者に何が救えよう。腕をこまねいて、にたにた笑っている方がいっそ良心的ではないか。おれの方を救ってくれと哀願したがましではないか。私には「神曲」から「ファウスト」を経て「エルザの眼」にいたる男性の文学はすべてそこで終っているような気がする。

子供を産むことから食物をかきまわすことまでの作業が坑内労働よりもいっそう労働の名に値いすると認めたところで、女たちには何の足しにもならない。彼女たちはそれを真の意味で組織したがっているのだから。そこで一歩進むためには男と女の集団的な結合が必然の愛で裏うちされていなければならない。誤解を恐れずにいえば、集団的な性愛がなければならない。むろん、それは乱婚のすすめというようなものではなく、人間の繁殖と生活資料の生産とを一定の目的性に沿ってつなぎながら、その回路を流れるエネルギーのことである。いわば生産の現場における機械と人間の関係までも一種のエロスが漂っているはずではあるまいか。そういえば、女をなでるよりも機械をなでる方がずっと色っぽいといった労働者がいるが、私はそれをフロイト風に解したり、マルクスとフロイトの握手と考えたりはしない。むしろ男性が機械のなかに女を発見することなくして、女のなかに機械をみつけることは、どのような意味でも唯物弁証法の名に値しないと思っているのだ。

だがそれだけでは、たとえば労働者の文学の不毛性を解くカギにはならないであろう。女たちにとっては、機械と自分が結びついていないから、機械と男の関係をどんなにひねくり廻してみても、それは空しい等価関係でしかない――というだけではなく、機械と自分が外在的な社会の諸力の変化いかんでは容易に結びつくと楽観できないところに問題があるからだ。世の中が変るまで待てといったところで、変ったらかならず女たちの孤独が解けるという証明にはならない。女たちの前進する孤独か鱗けるような革命でなくて、もうひとつちがった革命があろうとも思えぬ。とすれば現在の瞬間に、夫や子供への愛が深まるほど孤独という無意味さへ結晶してゆく傾きの果てに爆発する新しい質を確認する何かが必要なのではないか。

いまの私は、阿呆のようにそれに向って聞耳を立てているよりほかはない。そのような耳を組織するほかはない。きのう右の人指しをどこかで傷つけたらしく、黒ずんだ短い直線がまだかすかにしみる。この黒い色素は石炭にちがいない。ここではどんなちいさなけがをしても、かならず炭塵がつく。あたらしい傷あとにはその国の土の色があるというわけだ。そのまわりだけ、ほんのりあかるい世界があり、ひょっとすると坑内労働をした女たちが抱きしめてきたのは、古洞《ふるとう》のような指の痛みだったのかもしれないと思う。それぐらいのことしか今は分らない。男たちと女たちの間にはまだ相互に流通する言葉もなければ、組織もないのだ。

（一九五八年一一月「サークル村」）

女のわかりよさ

山代巴への手紙

十五時間近くかかって、旅館の床の間でよく見かける流浪のイカサマ画家が冷飯をかきこみながら描きあげた南画そっくりの風景にゆさぶられ、精気おとろえた林の奥にあなたを訪ねた理由はほかでもありません。あなたがこともあろうに民主主義とくっつけて書きたてられた忍従にみちた日本の女というイメージが常日頃ぼくにやりきれない思いをさせ、飯粒のなかに入ったほつれ髪の一筋まで合掌していただかねばならない旅絵師のように、いつかは面とむかって悪罵をあびせかけてやろうという陰鬱な情熱をひそかに蓄えていたからです。

ぼくの信奉するところによれば、漱石を悩ませたように日本の女ほどしたたかな演技力の持主はないのであって、すべての流行、すべての陰謀、すべての悪徳を床の下みたいなじめじめしたところから吹きあげてくる手際のよさは見事というよりほかはありません。もちろんそれは彼女らが西欧的な概念よりももうすこし純粋なプロレタリアートであり、奴隷であるからでありましょうが、彼女らをくさせばくさすほどますますこちらが官僚化してくる矛盾を断ち切らないかぎり、日本の男性にはおよそ市民的幸福などといったものをおのがカリカチュア以外のものとして受けとることはまったく不可能なのです。

たとえば六全協で断罪された家父長制と俗流大衆路線とかいった喜劇の真犯人もてっきり女性にちがいないとぼくはにらんでいます。犯罪のかげに女ありと刑事みたいなことをいうつもりではさらにありません。「あいつには女がいるのだ」といえばたちまちハハンとなっとくしてしまう心理構造をいうのです。家父長制ほど女性の形式上の無権利と実体的な自由を微妙に結びつけたシステムはない。そこではガラシア夫人と千姫が、九条武子と白衣の妻がどこまでも手をとりあって、あわれな犠牲者であるがゆえに歴史のヒロインである長い系列を形づくってゆく。人間の思想のあやを一転させてしまうかすかな階層の差はおろか、ビルディングの屋上と地下室がいつの間にか同じ平面になってしまう。男にいわせれば、こんな鯨もやすやすとくぐりぬけるほどの大きな網の目で何が捕れるものかとあざわらいたいのだが、あにはからんや、母もの映画とチャンバラ映画の共通項である、かよわい女とつめたい女という超階級的な倫理主義は男女をとわず、あまねく大衆をひっとらえ、その裏側でかよわい女は途方もない超過利潤をうる仕組みになるのです。

このあくどいカンパニアに逆らう男はたんぽぽの実よりも軽く吹きとばされるのが落ちであってみれば、泣言をならべるよりもいっそカンパニアの勧進元になるべしという主張にもまんざら色気がないわけではありませんが、それではやはり女を踊らせて踊らされる花森安治風のいたちごっこから抜けでることはできますまい。男性を女性の労務係としての限界にくりつけるのならそれでもけっこうだが、それこそ家父長制下の女たちが編みだした戦術の急所であってみれば、その手に乗るわけにはいきません。

ぼくらが『サークル村』を発行して以来、筑豊炭田の陥落池から発生するヤブ蚊のようにわずらわされている反対論は、むずかしい、キザである、浮わついている、逆上している、いったい何をだれに訴えようとしているのか、自分にもよく分らないことを人におしつけるな、おれたちはおまえらのいうことなんか痛くもかゆくもない……といった、それ自身おそろしく紋切型の口上なのですが、これらの攻撃法はまさにあなたがた女性が発明したイカサマの優なるものです。たまには自分の方から逆上して、「むずかしい」というべきところをうっかり「難解だ」とか「晦渋だ」とか口をすべらす男性もいるけれど、よほどお人好しでないかぎり、女は決してこんなヘマはやりません。どこがどんな風にむずかしいとか、こんな風にやればよいではないかという自分の提案はかたくなに口をつぐみ、ひたすら消極一点ばりの押しで押しまくるやり方は労働者の団体交渉でとられる基本姿勢でもあります。最低綱領から最高綱領までやみくもにぶちこんだ鍋料理みたいなデモンストレーションにあうと気の弱い職制はたちまち腰をぬかして頭をかかえこむかもしれないが、そんなことではとうてい反動陣営の内ふところ深く前進できないのはあたりまえのことです。したがって、ぼくらは理由のいかんにかかわらず、いや、それなりの理由があるならばなおさらのこと、ここで彼および彼女の無責任さを痛撃する姿勢を崩しません。

　むずかしいというのは理解できないということであり、その場合とるべき道は二つしかない。頭を下げてだれかに教えを乞うか、めんどくさいとほったらかすかです。にもかかわらず、難解だ、むずかしいといって攻撃するのは「自分にはわかるが、他の人々には困難だろう」というので他人の代弁をしようとする姿勢であって、それならまず代弁者としての自分の資格を証明する必要があります。自分にはわかるという、その理解のほどを証明するのが第一、他人の声がどのような道筋で自分の耳にとどき、それはどんな内容を持っているかという証明が第二。すくなくともこれくらいのことをせずに難解だ、難解だとデモをかけるのは、批判ではなくて居直りにすぎない。あなたは「おめえ『資本論』読んだか。『賃労働と資本』ぐらい読まないとだめだぞ」といわれた山代吉宗さんのお母さんの話を聞かせてくださったが、若いとき坑内ではたらき、ストの最中にひらかれた組合学校で勉強したこの老人は何をいおうとしているのだろうか。おそらく彼女は自分のまわりにあまりにも多く見てきたこの種の精神的サボタージュを一撃しているのです。

　証明ぬきの批判。それにも汲みとるべきものはあるでしょう。しかしこの場合、汲みとる者と汲みとられる者との関係は静止しています。汲みとった者が直ちに汲みとられた者へエネルギーを返すことができれば、それは片道交通ではなくなります。けれども思想の改造や成熟はそんなに簡単にはいかない。汲みとった方はしばらくそれで渇きをいやすかもしれないが、汲みとられた方はいつまで待つのか。彼はただ自分が他人から汲みとられるほどに豊かであるのだという自己満足しか得られないではないか。貧乏人が人に物をくれるのが好きな理由がそこにあるとはいえ、拒絶という形でなげつけられる批判をありがたく頂戴するのは、ある意味で彼の渇き死にを促進する態度でしかない。献上品をのほほんと受取ることによって光栄を与える天皇ならいざしらず、ぼくらはそんな乞食と天皇の間をいったりきたりするわけにはいかない。どこまでも彼がその場で批判とひきかえにエネルギーの返礼を受けることを要求するのです。

そのような意味で、『サークル村』に掲載された作品のうち、もっとも甚しい誤解をこうむったのは上野英信のルポルタージュ「裂」でした。長崎県にある江口炭鉱が水没して、それを口実に経営者が偽装閉山、首切りの挙に出たときの失敗した反対闘争を描いたその作品は、読者の多数から感動した、涙が出た、胸がつまったという類いの賛辞を浴びせられたのでした。なるほど、それはこれまで書かれた炭鉱の闘いのルポルタージュとして一頭地を抜いた気品のあるものです。それは事故の悲惨と闘争のみじめさのなかにある労働者のおくれた側面をあばきだし、その暗さをたたえた光のようなものをやや感傷的に、しかし力強くつかんだものです。だからこの作品の本領は労組幹部と大衆とを問わず、潰乱していく戦線のなかにある現在の労働者の視力の限界を照らしだしている面にあります。

「死をまぬがれた労働者たちは一挙にして復讐の鬼となる。階級的な憎悪を私怨の形で晴らそうとする。……闘争の経験をもたぬ、意識の低い、おくれた中小鉱労組を闘争に入れると、大手労組が十年かかって闘いとった権益を一挙にして獲得しようとしてあせり、また獲得できるかの如き幻想を抱くために、収拾のつかぬ泥沼闘争に陥りがちだという批判を聞く。しかしその批判は、半面の真実を含んでいると共に、半面の誤謬を含んでいる。たしかに彼らは一挙に尨大な権利を獲得して力関係を覆えそうとあせる。だが権利の獲得と力関係の転覆が彼らの目的ではない。……したがって闘争が有利に終った途端に、なんと唯々諾々として勝利の成果を敵に返納することか。『一発カマシテクレタ！』それで満足なのだ。ひと恨み晴れて胸がすけば、それで幸福なのだ。……だが私はそうした微妙な（しかも単純至極な）心理をつかむことなしに中小鉱の闘争の指導が果されるとは思わない。そして問題は、心理がどうこうと云うことではなく、怨恨を晴らそうという憎悪と復讐の感情だけでは、怨恨そのものを晴らすことさえできないところにある。そのためにますます憎悪と復讐の念は内攻して狂暴の度を加える。加えて一方では、化膿した死の恐怖が完全に団結の足もとを浮きあがらせ、組合員はほとんど烏合の衆と化す。その避け難い自己撞着の中に、闘争の末期的症状ともいうべき、あの病的な頽廃が生じる。」

これが彼のいいたかった、いや、いわずにおれなかったことの全部であります。むしろ彼が六年間の坑内夫生活で得た経験のすべてがここに凝縮されているといってよいかもしれません。それは「『賃労働と資本』くらい読まないとだめだぞ」という老婆の押しかぶせるような苦痛の思いとぴったり抱きあうものです。だが感動した読者たちは果してそこにどのような光線を見たのか。彼等はしちくどいほどに重複している彼の執念をいともたやすくのりこえたのにちがいありません。でなければ彼等はひたと沈黙してわが身の内部点検にとりかかるか、触発された自分の思想を声高に叫んだでありましょうから。けれども事実はそうでなかった。感動しました、震えました、それで終り。わからないとかむずかしいとかいった者は一人もなかった。

もちろんここでのべられている思想が何ひとつむずかしいものだとはぼくも思いません。けれども、これだけの断定を下すためにもどのような内的な経験の重圧が必要であるか。そこをぬきにして感動もくそもないものです。まして彼の結論は明らかに労働者の実感を尊重しつつ、その実感主義を否定しているのです。それならば単に、感動しましたということで終る批評は作者に対する非礼も甚しいといわねばなりません。実感主義の否定に向って実感主義的に共感することがどんなにばかげているかわかりきったことです。もっとも彼の文章の他の部分にはこのような実感主義を誘発する箇所がずいぶんあって、ぼくにいわせれば勧善懲悪の裏がえし、「悪は栄え、善はほろびる」というテーゼを信じているのではあるまいかと疑わせるふしがないでもありません。つまり東映映画のチャンバラ劇を百八十度逆さまにしたような割り切り方に読者をひっかけるのです。これは上野があなたと同じ程度に、断じて善人ではない証拠でもありますが、このような俗流大衆路線のしっぽとでもいうべきイカサマのからくりと、ほとんど修辞をつくろう余裕もなくのべられている前の引用部分とをくらべるならば、まるで別の万年筆で書いたのではないかと思うくらいエネルギーがちがうのです。

ひとりのインテリくさい青年がたかだか六年間坑内の壁と暗黒の対話から得たもっとも高温高

圧の精神状況が労働者、農民の無視するところとなろうともそれが何であろう。六年が六十年であってもそこをぐらつかせるならば、ぼくら自身が死ぬだけのことです。吉本隆明が俗流大衆路線を批判し、藤田省三が大衆崇拝主義の批判を批判するときに、彼等もまた同じことをいっているようにみえる。だが彼等の主張は「自覚した」知識人と「無自覚の」大衆の間に大衆への侮蔑と甘やかしにすぎぬハンディキャップを設ける態度を批判しながら、終局のところ知識人と大衆の断層を拡大することに終ります。しかしぼくらにとって異質のものを選別して涼しげな顔をする態度は救いがたい楽観論にしか見えない。ぼくらはもっと強い欲望を持つ人種です。だから手もなく感動したとみせかけて、実はおのれのひよわな部分を蔽いかくそうとする怠けた姿勢を断層をとびこえて追及します。ドリルと岩石のどちらが強いかなどというバクチに賭ける小銭は持ちあわせないのです。

しかるに「わからない、わかりやすく書け、書けるはずだ、書けないのは犯罪だ」という風に押してくる性急さは、精神の中小炭鉱における坑内夫としてもっともな復讐と怨恨のなすわざではありましょうが、上野が書いたようにそれは「闘争の末期症状」ではありますまいか。いったい現在の日本の思想的結実のなかにこの批判者が要求するような条件をみたす何があるでしょうか。ここにいたってぼくは上野の『せんぷりせんじが笑った』やあなたの『荷車の歌』を断罪しないわけにはいかないのですが、それらはあなたたちにとって「一発カマシテクレ」るための、なにがしかのカタルシスであったとしても、ある種の労働者、農民には自己のイデーの顕現として受けとられている事実であります。こういう作品がある以上、わかるように書けるはずだ！この錯覚をもっとも具体的に結実させた人間はだれであろう、九州に上野英信あり、中国に山代巴ありです。もとより単なる錯覚に責任をもたねばならぬいわれはない。しかしぼくの見るところでは、――この二つの作品に木下順二の『夕鶴』を加えてもよいのですが――戦後文学のなかですぐれて物語的であるこれらの作品に共通した健康さと衰弱の両面は戦後の民主主義のなかみとあまりにも正比例していることによって、現実をうちのめすものとなりえなかったと考えます。それは俗流大衆路線というような大まかな範疇をひねくり廻してもどうにもならない個々の事実ですが、ここでは運動の秩序に対する批判が物語の秩序とならず、運動の秩序がそのまま物語の中に移行しているという意味で究極的に現状維持の態度をうみだしています。

変な言い方だが、これなら労働者、農民はたやすくわかります。抵抗を感じることなく、抵抗する自分の顔を見たような気がするがらです。しかしそれは何も見たことにならない。異質の平面に反射しない以上、ぼくらは顔を映すことはできない。そんな自明の理をぼくは強調するのではありません。上野が「闘争の末期症状」と書いたとき、彼がせんぷりせんじ氏の大笑いの、そして自分の過去の「末期症状」を見ざるをえなかったことをぼくは固く信じる者です。そしてあなたが『民話を生む人々』のなかの至るところでセキ婆さんの屈みこんだ腰の、そしてあなたの過去の閉鎖性を控えめに攻撃せざるをえなかったことも信じます。いずれ、ぼくなども一通りは苦い味をなめてみた道筋であり、いまだに母もの映画の製作者と主人公と観客の魂胆をこんぐらかしてしまうことも一再ではありません。だが次のことは作者の責任として避けられぬところでありましょう。せんぷりせんじの笑いやセキ婆さんの涙は、それがどのように深いところからこみあげてきたものであるとしても、はたして解放へ向うか、労働者農民の自給自足現象に終るかわからないところで物語を完結させていること、そのことをなんらかの形であきらかにすべきだということです。

検事風の表現をすれば、上野とあなたは大衆に「わかるように書けるはずだ」という安手な信念の具体的根拠を与えた点で告発されねばならない。あなたの親友が話してくださった面白い話がありましたね。たしかあなたの故郷である府中市で講演を頼まれたとき、大入りの聴衆はあなたがあんがい若い（！）のに落胆し、かついきどおり「えらく苦労した七十婆さん（セキ婆さんのこと）が身上話をするというので夕飯もそこそこに出てきたら、なんだ、おまえか。」これはなによりも立派なぼくの味方です。彼女たちは一種の肉体的な読書をしている。と同時に他人の苦しみで自分の苦しみを薄めようとしている。そんな風に読まれてしまう理由があの小説にはあります。したがって『民話を生む人々』が一部の地方住民を怒らせたのは当然です。ことわっておきますが、もしぼくが『民話を生む人々』を書いたとしたら、人々は怒るよりさきに土嚢をきずいて防衛に大童になるでしょう。怒れば怒るほどぼくはそれをタネに書きつづけるでしょうから。あだからぼくはあなたがたのように完全犯罪をねらって証拠インメツをはかったりはしません。ありあまるほどの証拠をばらまいておいて、食いついてきた魚とはかならず刺しちがえる。要求せよ、要求せよ、要求せよと要求し、その要求の強さで角力をとる。ぼくが物語作者でないゆえんです。

しかも検事として求刑の際に忘れてならないと思っているのは、あなたが女であることです。

つまり純粋プロレタリアの代表が犯した現状維持の罪でありますから、本来野蛮な職制である上野よりも数等重く量刑されるのが至当です。女たちが家父長制を打倒してむきだしの裸かで対等な位置に垂直に立ちつづける苦痛を避け、むしろ家父長制を温存しながら戦えばかならず勝つ絶対優勢の体制を保っているのは、男性にとって耐えがたい損害であります。しかもあなたはこの一方的に有利な形勢を打算し、煽動した気味がある。ぼくの「女たちの新しい夜」という作文を読んで、「東京山の手のサラリーマンの奥さんたちにも通じるものがある」などといっている鶴見和子の純情可憐にくらべれば、改悛の情なきものと断ぜざるをえません。

あなたは女囚として奉仕作業に狩りだされ、和歌山の海辺にいたときのことを話された。砂袋と隠語でよばれている砂糖を盗みだして、近くに寝泊りする兵士らとあいびきする彼女たちのこと。その断片のひとつひとつに波の音と空襲の閃光がまじっていた。その時新兵であったぼくは急に、髪だけがやけに黒く、白粉気のないあたたかい皮膚の香りをかいだように思ったが、それもぼくの「末期症状」にすぎないでありましょう。ともあれ、あなたがぼくらのところへ忍びこんでくる女囚であり、ぼくがあなたがたに向ってレマルク風に腕をひろげる兵士でありえたら、そんな尻の割れやすい隠語でなく、唯物弁証法とでもよびなさいと教えるところでしたが、日に十頭の馬の脚を洗い、そのままの指で食卓に落ちた飯粒を拾い食いしていたぼくらは、やたらに砂袋にあこがれているだけだった。いまになってあなたが自己批判してもおそすぎるというものです。

（一九五九年三月「サークル村」）

母親運動への直言

自分で自分やその同類を恥ずかしげもなく「お母さん」と呼んで、さも満ち足りた顔をしている日本のお母さん！

この手紙をさしあげるのは息子とも父親ともつかぬ三十五歳の男性です。この三日間、母親大会を傍聴しました。おそらくこれは私が今まで重ねてきた愚行のうちでも優なるものです。それにまた馬鹿げた便りを書こうとしています。日本にも、かくもまともな男がいることをおよろこびください。とはいえ、異性への手紙にはまず動機がはっきりと説明されなければなりますまい。これは報告書でもなければ内輪話でもなく、むろん恋文でもありません。どちらかといえば借金の催促状のごときものであるとご覚悟願いたいのです。

もはや五年前になります。はじめて「母親大会」という呼び名を耳にしたとき、私の背筋をゆっくりとつたって落ちた一滴の、冷たくて熱い感情のしずくを私は忘れておりません。それはきっかり十年の歳月を隔てた何物かの復活であり、同時にその死のはじまりであると思われました。私が指しているのはほかでもありません。戦時中に学生であり、ついで兵士となった私の目がいくどとなく出会ってきた靖国神社の臨時大祭のことです。黒ずくめの女の大群が春と秋に首都を襲うのでした。沈みがちな田舎なまりと厚い皮膚と案内役の男の胴間声が電車のなかにあふれていました。「××県はこっち、××けーん」私たちは日に何回も道に迷った老婆の哀願するまなざしにとらえられるのでした。なかには花嫁のとき着たにちがいないスソ模様のある紋付姿にうさぎのような孫が抱かれていることもありました。それは拒もうとしても避けることのできない私自身の母たち、複数の母でした。その安白粉と畑土の匂いがまじりあっている襟もとに、私たち若者の魂は一つずつ無雑作にひっかけられていました。水をいれた手桶や漬物石にくらべれば、それはまことにかるがるとした白い首輪でしかありませんでした。そしてそこに、私たちの唯一の未来がありました。

彼女らのまぬけた言葉やしぐさをどんなに私は憎んだか、いまでも指が震えだすようなところがあります。息子の死よりも都会のざわめきの方により深くおびえているかにみえる外見のことではないのです。うちのめされている者がこっけいな感じをさそうのはあたりまえのことですから。私が怒りにのどをつまらせるのはそれではなくて、その悲しみの片方の極で死んだ息子が死ぬことによってやっと自分のところへ帰ってきた、息子をとりもどしたと感じている母親の自己満足でした。あなたはうっとりと抱いていました。息子の骨ではなく、自分自身の骨を。もともとこれは自分のものだったのだとつぶやきながら。

息子が父親にも兄弟にも友人にも恋人にも告げることのできない、自分自身にも判定のつかないもだえにしめつけられていたとき、あなたはいったい何をしたというのでしょう。目を細めて、ひたすら息子の苦しみを和らげてやりさえすればよいと、なでさすっていたではありませんか。息子が求めていたものはそれではなかった。「その馬鹿げた苦しみを私も苦しもう。それは苦しむ値うちのない苦しみだから」と一言いえばよかったのです。息子は答をもたなかった。しかし母親は一人残らず答をもっていたはずです。もっていたから、母親は逃げたのだ。息子の心とは他人でした。息子の肉体は自分のものでした。だからたとえば食糧集めという精神的に楽な役目にまわり、腹を立てた息子をますます神がかりにしてしまったのです。

あなたはいつもそうです。自分をわざと人間の母親ではなく、つばめの母親のように装う。無条件でエサをくれる。それによって自分を許す。気の遠くなるような緩いテンポです。そしてそれよりほかに私たちの死をつつんでくれる音楽はないのだと考えるたびに、私はむらむらと起る殺意のごときものをおさえかね、下宿にひきこもって数日間の「祭」が通りすぎるのをひたすら待っているのでした。このようにして私はやっと無数の母を憎むすべを知りました。私のなかのただ一人の母が砕けていくのに、それ以外の道筋はありませんでした。

もう一度あれをくりかえすのか、息子たちの母親たちという考えにたどりつくのに、息子が愛ではなく近親憎悪のコースを通らねばならない、そういう生物的な方法を私たちに強いるのか

――私は目をつぶって観念しました。あのときはガダルカナルだった。こんどは沖縄か。それもよいだろう。あやまちと敗北の幾万回とないくりかえし、日々のくりかえし、それが母親なのだ、と。

それよりほかに母親には何もないという事実を、かつては黙々と私たちにおしつけてきたが、こんどは声に出してそれをいうだろう。何度でもくりかえしなさい。徹底的にくりかえしなさい。それによって深海の底のながれが動きだすと錯覚するがよい。息子はただそれを固い目つきで見守り、母親を許さないことだ。息子と母親のなれあいさえなかったら、「わだつみの声」もあんなに白樺の幹みたいな弱々しい傷つき方をしなかったはずだ。その責任のほとんど全部を担わねばならない者として、息子は自分を永久に許せないように、相手方である母親を許してはならない。

そう考えていた私は、第一回大会が「涙の大会」になったと聞いても、かくべつの失望や感動を起しはしませんでした。公然と泣きわめくことがすこしは抵抗の役割を果したかもしれないときに泣き方すら知らなかった女たちです。涙がむだな時期になって、どっとあふれてきたのはあたりまえです。しかも奇妙なことですが、その出しおくれた涙ほど母親というものを浮きぼりにして見せるものはありません。

証拠をあげましょう。手もとにある福岡県失業対策本部今年七月発行の「炭鉱離職者の生活実態」というパンフレットに次のような調査報告の一節があります。

――高畠さんのお宅で調査中、質問は終りの「借金」のところにおよんだ。ご主人は心よくガタガタのタンスから質札をだして私にみせようとされた。いままで協力的だった奥さんの顔がだんだん嶮しくなってきた、と思うと矢庭にご主人から質札をヒッタくられた。それからは私の前もはばからずハデな夫婦ゲンカ。ふと炊事場をみると、ネズミが一匹ヨイショラヨイとイワシをひっぱってまさに壁の穴に消えようとしている。「魚」の項で月一、二回と聞いたばかりの私は、思わず大声で目下起ろうとしている大事件を告げた。夫婦ゲンカはピタリと終り、奥さんは流しのところに脱兎のごとく走られた。だがすでにその時は遅かった。後に何が起るかと半ば逃げ腰かげんに奥さんをみると、ユガンだ奥さんの目から涙が一スジ、二スジと流れてゆく。「かわいそうに、ネズミも世帯の一員だ。魚もたまには食べたかろう」といいながら。

この最後の逆転する独白の部分がまさに、出しおくれた歎きのうちにはからずもあらわれてくる「母親の論理」です。それは仇敵であるネズミを自分自身に同化して許す。許すことによって、もう一つ大きな局面にかけあがります。許すべからざるものを許し、許し、さらに許して、最後にたった一つの敵をみいだすことができるならば、積み重ねられた寛容さのなかに蓄えられてきたしんぼうしかねるものを、しんぼうしてきたやりきれなさを、ゴウ然と爆発させることができるでしょう。

だが戦争中のようにそれが不発のまま、一種の自己満足に終ることも十分考えられます。進歩の立場からいえば、母親運動は大きな賭けです。もしかすると、すべてを許していった母親そのものの自滅をみちびきださないとは限りますまい。今度の大会に自民党が攻撃をかけたのも、母親の論理自体には闘争の要素がないはずだということを強調し、あわよくば動揺を起させようとしたのでしょう。無限にひろがる母親の寛容さというものは、その寛容さをほろぼそうとするものに対しては、寛容の精神のままで火のように反対するという強さに達することをめざすのであろうと思います。けれども今度の大会で、その辺のところがうまく尽くされていたとは、お義理にもいえませんでした。

大会を傍聴したのははじめてですが、私はむしろ右にあげたような純粋な母親の論理、言いまわし、発想というものが乏しすぎるように感じました。どちらかといえば、労組婦人部の全国大会という匂いでした。

なるほど計画は割に整っているようにみえます。数字や調査をもとにした発言が多く、それがどんな要求の形をとるのかも前もって考慮されています。だがそれらは男の私にさえアクビをこらえきれないほど紋切型になったテーマを教科書ふうにしゃべっているにすぎないのです。しかもその要求たるや、ほとんど経済要求です。貧乏のせいでかえって大金持よりもはるかにのびのびした夢をさそいだすというところがないのです。金さえあればカタがつくことがらと、金がなければどうにもならない問題とは同じようでちがいます。後の方は金だけあってもどうにもならない。その区別がついていないのです。

まれに例外もありました。皮革製造の小工場にはたらく部落の婦人が「うちの経営者は独占資本主義で」といったり、田植に安い日当でやとわれることを「自分自身で最低賃金をつくりだしている」といったりしていました。社会科学の用語法からいえば、それはもちろん逆さまに近いけれども、そのまちがい方のなかに今日の実態があるふんいきをもってあらわれています。だから彼女は自分が部落民であることをくったくもない表情で何度も発音していました。それもまあ、この程度のことにすぎませんが。

「なんだ、母親はどこにいるのか。これじゃまるで母親不在の母親大会だ」と私は胸のなかでつぶやきました。私は九州の炭坑町に住んでいます。そこで身近な女たちが点々と集まって、ガリ版の通信を発行しはじめています。その創刊号の一頁には、つぎの言葉がみられます。「道徳のオバケを退治しよう　ヘソクリ的思想をめぐって」という表題のその文章は——わたしたちは女にかぶせられている呼び名を返上します。無名にかえりたいのです。なぜなら、わたしたちはさまざまな名で呼ばれています。母、妻、主婦、婦人、娘、処女……と。たとえば「母」は「水」などと同じことばの質をもっているはずです。ところが、それがなにか意味ありげなものとして通用しています。まるで道徳のオバケみたいに。献身的平和像、世界を生む母などという標語をくっつけて、女の矛盾はみなここで溶けてなくなってしまうかのようです——といったぐあいに続けられています。

しかし私は「おや」と立ちどまります。献身的平和像は棄てられたのでなく、ぴったりと身につけられたまま、いつのまにか稀薄になり消えてゆこうとしているのではあるまいか、と。

このままでは名前はどうあろうとも、母親運動は単に学童に対する教育問題としてのみ存続し、あとの領域はより一般的な婦人運動の中に解消してゆくのではないでしょうか。その傾向は四十五の分科会のうち二十七までが「子どもと教育の問題」であることによってもうかがわれます。

お母さん！　あなたは大変しつけのよい育ちでいらっしゃる。この数年、実感主義はだめだ、状況ベッタリはだめだと批判され、おりこうに勉強なさったのですね。そして息子が息子のリクツで作った科学的合理性を感に耐えた面持ちで眉をしかめておさらいし、いたずらに小ジワをふやされたというわけですか。おしあわせです、あなたは。私たちがいったのは「ふていの志をいだけ」ということだったのですよ。学習することによって母親の言葉が殺され、運動がちぢこまり、献身的平和像ですらなくなっていく靖国精神のくりかえしばんざい！

つばめのお母さん！　あなたがとった知識の虫を子どものところへ運んでいらっしゃい！　子どもは確実に従順な羊になり、いつかはあなたの細い首根っこをあったためる毛糸になるでしょうよ。

私をふくめた男の言葉にだまされてはいけません。まちがっても「ハイ」と答えてはなりません。男の言葉は男しか使えないものなのです。たとえば男は「売春問題」といったとりあげ方をします。そのとき男はもう逃げているのです。夜の女にしぶい表情であわれみの念をあらわす男は一歩彼女の方へすりよることになるのですから、やむをえずそこには一種の広く淡い性愛が成り立ってしまいます。それを切りすてるために、男はゴツゴツした言葉を用います。しかしそれはごまかしであり、まちがいなのです。彼女たちを自分のなかまの女たちと考えるところからしか、売春の本質と絶縁するすべはないのです。広く淡い性愛はこの世におけるもっとも大切なものの一つだと宣言する勇気をもった男が少いだけです。だからあなたは息子が売春問題を論じるときには、あなた自身が一人の男に所属する数十年間のオンリーであることの意味を伝えなければなりません。私にいわせれば今度の大会の第四十番目の分科会「売春問題」は「体を売ること、心を売ること」とでもすべきであったと思います。取り組んでいる対象が自分自身でないような学習運動を私は一切信用しません。

「ちえのおくれた子ども」という分科会がありました。しかし息子にとっては「ちえのおくれた母親」が問題なのです。それを引きあげようというのではなく、ちえのおくれている母親のちえによるならば、世界はどんな風にみえるのか。それが息子のちえを鉄槌のように打ちくだくことを求めているのです。それは実感主義ではなく、男が作ろうとしてどうしても作りあげることのできない、もう一つ別な理論の芽なのです。

なぜそれが必要なのか。大回の三日間があますところなく語っています。闘士型のテキパキした女性は男くさい労働組合風の割りきった物言いで問題をさばいてしまう。だがそれは何のことはない。単純な物真似のうまさにすぎません。炭鉱の主婦たちが今うんざりしている「炭中軒雲月」女史の大量生産におちつくほかはないのです。それに対して、半分は私も学習しなければとミコトカシコミ、他の半分ではうっとりと息子の骨を抱いて、うろうろと道に迷っているあなた……もう二度と哀願のまなざしを向けてはくださるな。

世界中の問題はすべて男の言葉で整理されています。それをことごとく女の言葉で組み変えてしまう必要があります。その上でなければ男と女の問題にはならないのです。

ところで日本の特殊な障害として、母親の言葉だけがかろうじて台所のすみに存在し、女の言葉は「だわ」とか「ざあます」とかいった無用の風鈴以外に生きているものは何ひとつありません。ですから日本における母親運動の意義は、第一にかまどの灰にひとしい母親の言葉ですべての問題を表現する決意をかため、第二に息子との大衝突を敢行し、第三に一挙に母親も妻もかなぐりすてて無名たらんとする九州の女たちのような、もう一つ別な解放運動とはげしく切りむすぶところにのみ存在するでありましょう。そのためには、まず無原則に許しっぱなしであったあなたが、真に寛容であるということは何かただ一つのものを厳然と許さないことであると覚悟されねばなりますまい。

それは何か。安保改定反対署名簿にまるで定期パスの申込書のようにかるがると署名をし、イワシを引くネズミのようにちょろちょろと他人の署名を集めてまわり、向う三軒両隣が署名したから私もするわといった票数の多いことを誇り、いっぱしの活動家になったつもりで母親大会に出席したりすることを、進歩とか発展とか口がくさってもいわないという態度のことです。

どんな小さな行動にも一世一代の思いがこめられるかどうか吟味してください。安保改定反対署名とは、あなたが息子を戦争のためではなく、平和のために死なせても悔いないという誓いなのです。その決心がつかないうちはもくねんと壁をみつめて坐っていてください。男はそれを自分たちの行動のものさしにします。その歯をくいしばった沈黙をつらぬいて母と子の対話がはじまるのです。

（一九五九年一〇月「婦人公論」）

分らないという非難の渦に

本塁打王とか盗塁王とかの野球用語にならえば、ことばの世界に「難解王」というやつをこしらえてよいかもしれない。むしろそれは三振王や死球多投王と同じ系列に並べられるものだろうが、王様の多いこと、王様でさえあれば尊敬されることでは、まさにアメリカに匹敵する祖国の現状である。

万年筆をにぎるたびに——私の敵よ、私を王にするな、と呪文を唱えてきた私も、どうやらこのごろでは「顔を見るのもいやらしいくらい何のことか分らない」「こんなに分りたがっているのに分らせようとしない」といった非難の渦によって小さな島の王様に祭りあげられそうな形勢である。できるものなら私も日高六郎のような「整理王」や鶴見俊輔のような「解釈王」の方がスマートだと思うのだが、ルールを破ることばかり考えているうちにかかる仕儀とは相成った。もはや王様コンプレックスをさらりと棄て、いさぎよく冠をいただくとしよう。

さらば、私のことばに眉をしかめたり鼻を鳴らしたり首をふったりしている、かわいい私の民よ、普通の人間たちよ。私の詩など分りよすぎていけないと攻撃している連中も厳然と存在するのだが、彼等は要するに反逆者にすぎぬ。そして反徒をもたない偉大な王などありえないのだ。お前たちは内心の要求に忠実にしたがって、私のことばを難解と信じるがよい。そうすればお前たちはいつまでも幸福であり、領土は富み、私の昼寝の汗までが金色に……

いや、王様は決して物事をこんな風に順序正しくしゃべってはならない。もちろん王様に本音などあろうはずもなく、たてまえ一本でつらぬきとおすところに大貴族の面目があるのだが、そこはやはり魚くさい初代目の王のありあまる精気の加減で、つい、お里が出るしだいである。

そこでままよとばかり熊襲ナマリをぶちまけ、またぞろ「分らない、分らない」というハレルヤの波を起させ、その中でマクベス風の夢をむさぼるとしよう。

いったい「分らない」とはどういうことか。相手の思想に触ることができないということではないか。それなら黙っておればよいのだ。無縁なものには攻撃する必要もなければ防衛する必要もない。にもかかわらず「分らない」とわめき、つぎには「分りたい」とにじりよってくるのは、ほうっておけば自分が危いという感覚に責められるからだ。

つまり分らないものからさっさと立ち去ることをせず、なおも分らないと発言する者は彼の小さな所有地が無事に保たれるのを確認したがっているのである。

私が本紙（5月11日号）で真壁仁と「くたばれ組織論」という対談をしたのは、このような精神の五反百姓どもに破産宣告をしたかったからにほかならない。いや、私はすでに何度も繰り返し宣告だけはしたつもりだが、この精神が今度は組織論という新しい衣裳をつけてお出ましになったのを見るや、不覚にも大声をあげてしまったのである。

そうではないか。既成の認識の基本的な質を何一つ破壊せず、あれこれと配置転換をしただけで組織論とは聞いてあきれる。学士院会員にすら賛否はともあれ、お分りいただけるような組織論に向っては祝福の投げキスをするのが王者の風格というものだった。

どだい、一つの社会にあわや有効かもしれない組織論なんてざらにあるはずもない。二つもあるとすれば、その文明は大した生産性を持つのだ。トルストイにドストイェフスキーという風に並べてごらんなさい。現代の日本においてかろうじて有効性をもつ組織論の最低条件とは何か。それは味方にだけ分って敵には決してよく見えない組織論でなければならないということである。

ここまで種明しをしてしまうとあるいは不測の損害を味方にあたえはしないかという恐れもないではないが、私たちの組織論は本質的に暗号でなければならない。なぜなら、新しい思想の新しさとはよくいわれる通り従来の鍵では間にあわないという意味でつねに難解であり、普通のことばで描けないものだからである。

さらに新しい思想はかならず四囲からの攻撃にさらされ、援軍をもたないので、みずから武装せざるをえない。それは必要でないのに全身を敵の眼にさらす愚かさを避けるために、味方に対しても警戒する。「普通のことばで」などというのは思想の保守性と利敵行為に通じる。

そこで前衛の定義が生まれる。私たちの前衛とは暗号の創造力と解読力を同時にそなえている人間たちの組織である。創造力がなくて解読力しかもたない人間は後衛にすぎまい。とすれば解読力すらもたない人間はいったい何であろうか。わざわざ定義するのもめんどくさいのでイエスがマリアに宣告したように「我、汝と何の関りあらんや」と申し上げることに私が決めている彼等――その見本はさしずめ大学教授から小学校の教師にいたるぼう大な啓蒙思想家にあらざる思想啓蒙家の群である。ことばが信号の信号だとするならば、暗号は信号のN乗である。このN乗のNを理解するかどうかは思想解読における算術から代数への道を決定するものだ。

いわば彼等は、啓蒙が二度くり返されれば啓蒙主義となり、三度反覆されれば「啓蒙主義」主義となって、単なる量的連続ではなく質的堕落がはじまるという、思想生成上の機微をご存じないのだ。

したがって進歩的な団体はトランプの「七ならべ」遊びのように「パス」をするのは三度までというような戒律をみずから設けなければならない。つまり「反覆罪」なるものを設定して、組合幹部は一年間に「平和」ということばは百回以上しゃべってはならぬ、これを犯せば即日委員の役割からすべり落ちるという風に決める必要がある。

そうすれば、今のように「安保安保」と連呼し、ビラをまき、署名をさせることだけで政治行動と考えている白痴的な行動主義は影をひそめ、大衆は片眼をつぶってニヤッと笑ったりしながら、ケンランたる抵抗の花を咲かせるであろう。

人民的民主主義がファシズムと似ているところはスローガンを合唱することだけである。これを最低限に抑え、かんじんな瞬間にだけ爆発させるようにすれば、警職法のときのようにうまくゆくのだ。それ以外のときはできるだけ暗号を豊富にするがよい。

啓蒙家の能力は大衆の暗号製造・解読能力の発展いかんによって測られるべきである。ブルジョア・マスコミと私たちのコミュニケーションの差もまた暗号の高度な有機性のなかに発見されるべきである。

ここまで書くと、私もついに「難解王」の座を見棄てて「啓蒙王」の方へふらふらと歩きだした形勢となって、ぬれたズボンをはいているような心持ちだが、毒食わば皿まで、世にトリプル・クラウンということもある。

考えてみれば、いかに私たちが躍起となったところで、日本の変革を規定している主要な条件は日本の内部よりも、それをふくんだ外部にあるだろう。とすれば私たちの組織論は内から外への方向をもって思想の現代性および世界性とつながっていなければならない。いったい私たちが「もはやここから動きたくない。このままでいたい自分をそれでよいと認めてくれ」といっているにひとしい「分らない」「分りたい」という発言をとりあげ、それを暗号組織論と結びつけたりすることが思想の世界市場でどんな価格をもつというのか。

私の推定だが、日本の大衆こそ思想と非思想の境い目のあたりにへばりつく低姿勢の維持という点で世界に冠たるものではなかろうか。生きもせず死にもせず、茶ガユでもすすって沈黙と「分らない」の間を出入しているさまは、まことにみごとな反立体主義というよりほかはない。この完全無欠な平面性との闘いは中国をふくむどこの国の革命史をひもといても発見することができない。

労働者的感覚などといっても同じことを単純に繰り返す反覆作業に対する怒りがめらめらと燃えることはなく、むしろそれに親密化してしまう自分へのいたわるような嘆きがあるだけだ。いわば日本人は生まれながらにして転向者あるいは帰化人の心情をもっている。

このくにゃくにゃした思想の軟体動物的性格そのものを常識的な意味での生産性とみなすことに私は反対する。ただし単たる不毛と考える結論にも賛成できない。だからこそ私はこれをマイナスの生産性と規定しこのように稀薄なニヒリズムを純粋状態へ結晶させそれをいわば高度な貴族性で攻撃するアナーキズムとの相剋摩擦が促進されるように希望しているのである。なぜなら前衛的精神とは最低温のニヒリズムと最高温のアナーキズムをその極限のところで交換することのできる装置だから。そのときはじめて生まれる組織と行為だけが、それだけが変革への方向をもつ。この意味で現在の革新派に存在する根強い多数派獲得主義がどこへゆくかはいうまでもない。

それというのも、日本人の思想を一般的平均値においてとらえようとするイデオローグが多すぎるからであり、彼等はことごとく啓蒙派への方向指数をもっているがそれこそ実に私たちが否定しなければならない大衆の病と同質の患者なのである。

彼等は決して日本の大衆のなかにある反日本的質にたどりつくことができない。彼等の魂は弥生式土器のようにすんなりつるつるしていて、そのような精神のマチエールで大衆と合唱しているだけなのだ。孤独も知らず飢餓も知らず、資本論入門の入門に入門させ、問題意識の意識を意識させ、さて賃金格差に関する解決なき論議にふけったりしているのだ。

そのとき一人の掃除婦が組合会議室の床をはきながら笑いだす。彼女はおこっている執行委員の面々を見渡し、腹をかかえてしゃべる。――なんだ、会議ばかりしていると思ったら、あんたらそんなこととして暇つぶしているのか。給料を全部集めてよ、皆がいいように分け直せばいいんだよ。――つい先日、ある公務員から聞いた話である。

ここには現在の労働運動の質を一瞬にして変えてしまう、力にみちた思想がある。労働者の賃金をプールし、労働者的体系の下に配分し、内部の対立的エネルギーを奔騰させつつ、するどく自覚された統一をうみだし、賃金総額で雇用者と対決してゆくならば、その思想の高さにおいてPRやHRは手もなく粉砕されてしまう。現状を変化させる思想とはまさにこのようなものではないか。

くりかえしていうが思想とは氷点を突破して燃えているものだ。分らないとか分りたいとか、へっぴり腰で何かいうよりも腕を組んで冷然と眺めていたらどうです、谷川雁が破滅してゆくさまを。近よったら火傷しますよ。火を薪とまちがえるのは、日頃薪を火と考えちがいしているからだ。

ばかげたこと、分りきったことをしゃべりすぎた。「啓蒙王」をねらって、ただ一句も珍しいことはいうまいと努めた私の苦心だけは分ってもらいたい。

日本のあと百年ばかりの未来に大した思想的可能性はない。ただ一点、きわめつきの低姿勢を根こそぎ引っくりかえす特殊製法が生まれたら、それは世界の特許を得るだろう。そこに食らいつく者だけに未来がある。そのために私たちは自分自身と別れなければならない。では去りゆく私よ、縁のない人々よ、さようなら。二度とお会いすることはないでしょう。

（一九五九年七月二七日「日本読書新聞」）

びろう樹の下の死時計

　あなたは知っているか、黒潮のただなかにある十四戸六十人の国を。岩と丸木舟と神々と——これ以上減耗するか、遮断されるかするなら、もはや存在することのできない極小の人間世界を。そこから私は自分自身を追放するかのように漂着したばかりである。どこへ？　一月前まで見馴れていたはずの風景へ、一九五九年初夏の日本の文明へである。私は帰ってきたのではない。私はそこから脱出してきたのだ。なぜなら、そこは私たちにとってまぼろしと破片でしかなくなった共同社会がまだ生きた基本原理としての色彩と音響をもってうごめいており、その意味で私たちの「妣《はは》の国」であるばかりではない。きわめて緩慢に注ぎこまれてゆく現代文明とそれの接触過程における混乱・変質・融合の高速度写真を追体験できる稀有の場所であるからである。いわば、そこで私たちは日本現代文明に対する黙々たる判決文を読むことができる。そしてこの底ぬけのお人好し裁判官によってなされる、哀願ですらもない、深い青色のひらめき……その一瞬のまなざしは私を絶望させる。きっと私は彼等を喜劇的にしか描くことができないであろう。そのことが私をはてしなく滑稽な存在にしてしまうのだ。もし私が自分の精神のある種の死を味うためでなかったら、私はあの榕樹《がじゅまる》の根に坐りつづけたであろう。しかし、私はその島を離れた。私は何物かをほろぼさねばならないと決意した。それは何であるか。私たちが勝手に作りあげてきた時計であるか。私はいささかもそのような進歩の日時計を信じてはこなかった。にもかかわらず、今日私をさながら転向者のごとくさせる失墜の感覚がある。人が生きているうちには全く動かず、その死と同時にちくたくと刻みはじめる時計があったなら……私はそれで彼等の優しい寡黙を測ってみたい。おそらく彼等の体内にはそのような時計の幾百が微かな音を震わせており、そのためにあのびろう樹の下の時計は、まるで死んだひとでのようにじっと動かないのだ。

老婆の髪のような変色したすすきで屋根が葺かれていた。船荷の出し入れに使う小屋のひさしに忍びこんで、丸い石に腰をおろすと、雨は汗とも涙ともつかぬ温かさでしたたり落ちた。けぶっているなかにも強い光がきらめいている視野のまんなかに、白い十字を記した黒煙突のちっぽけな汽船が浮いていた。そのへりで躍りあがって鯱《しゃち》のように食いついているハシケがあった。波は動転する二つの生き物を無視しているだけでなく、世界中を水びたしにしても飽きたりない貪欲な意志のせいで、かえってひっそりとのたうっていた。その空と海を左右から締めつけている鋏、突きたつ緑青と銅の断崖——臥蛇島《がじゃじま》だった。

ゆうぐれの鹿児島港を出てかち十九時間目に、私はこの魔界の石を踏んだのである。村営船十島丸（二百五十トン）は私のために航路を変更して、臥蛇に寄港してくれた。船内のラジオは昨夜諏訪之瀬島が噴火したことを報じ、口之島の沖合には数日前坐礁したギリシア船の姿があった。しかし私はもはや日刊新聞をパサリとひろげるときの倦怠感や、なけなしの金を使うときの思案からきっぱり断ちきられていたのだ。そして汽船が月一回平均の不定期である以上、私の未来の持ち時間は茫洋とひろがっているだけで、何日に何をするという予定もありえなかった。中之島を出る頃からみるみる天候は一変し、無人島の小臥蛇にさしかかると、雲はその頂きを蔽い、海面は異相を呈してきた。それは探偵小説の海賊島などにはおあつらえむきの凄まじい崖であった。そこを知る者はわずかであり、彼等がことごとく畏怖の念で発音する——臥蛇。

明治十七年、白野夏雲著の『七島問答』によっても、「四周一様ノ火山岩石ノ絶壁ヲ回シ其高キ四五丈ヨリ数十丈ニ至リ境々奇ヲ畳ミ怪ヲ積ミ画図モ譬フルニモノナシ」といい、「一島中一港湾ナシ。只島北村岡ノ岩下ニ於テ数十歩許縦五六歩許舟着場アリ。幸ニ北風ナキノ日ニ於テ他州ノ小舟寄ルヘシト雖共其船ハ直ニ陸ニ登スヘシ。其陸地ト云フモ狭少ノ岩穴ナルニ過キス。一朝小風波ノ起ルアラハ決メ安全ヲ得ヘカラス。……是他州船ノ島名臥蛇ニ恐レテ其相近ツカサル亦宜ナラスヤ」とある、その崖下に着いたのだ。

「空想との衝突」と名づけた、私のちいさな実験がはじまろうとしていた。自分の空想力をなるべく低く値切りたおし、それでもなお現実との誤差がどのくらいあるかを測ってみれば、私がロマンティストであるか、より多くリアリストであるか測れようという他愛ない賭けだったのである。だが眼の前にひろがった光景は賭けそのものが空想にすぎなかったことを示していた。私が自分の空想の反対側に措定していたものすら、これほど無色無臭の単純さではなかった。そこには亜熱帯を思わせる濃厚な道具立てのひとつもなく、それがかえって恐しいほどの現実感をうみだしていた。私はすこし前に会った民俗学者との会話を思いだした。彼の説によれば、離島が百戸以上の場合にはかろうじて発展する。しかし五十戸以下ではどうにもならないというのだった。

「なんだか逆さまのような気もしますが、資源によって人口が左右されるのじゃありませんか」

「人間は条件を創りますよ」ぴいんとした自信で、彼は答えた。「たとえば動力船が必要だとします。現在の補助金制度は半額か三分の一の住民負担と組み合わされています。自己負担ができなければ何ひとつ始まりません。人間の最低生存条件は一定数のなかまなのです」「それじゃどうなるのですか。その必要数をどうしても得られない島は滅びるよりほかにしかたがないとおっしゃるのですか。早目に移住でもした方がよいのですか」彼は眼をとじた。「社会体制ということがあります。しかしあなたの質問は現在どうするかにあるのでしょう。そうです、移住した方がましだと考えられないこともありません。しかし、そこに住みついてきた人間の意志は……」

臥蛇十四戸、諏訪之瀬十二戸、平三十四戸、悪石三十六戸、小宝十八戸という数字がここにある。資源と人口の関係についての、彼の意外にマルクス主義的な断定は私を一つの夢想へ誘った。考えられるかぎりの小さな、現代社会の一部としてぎりぎりの範囲にまで隔絶された社会単位のなかで、人々はなおかえってむきだしの法則性に従うものであろうか。それともこの部分社会は全体社会のそれとは異なる原理に支配されるだろうか。というのは、私たちのまわりにあるさまざまの二段論法——「私は日本人である。だから……」「私は労働者である。だから……」「私は戦争で被害を受けた。だから……」と続く証明法は、大宅壮一のいうお天気まかせの気ままさとは反対に、自分がそこに定着している事実を決定的なものとして受けとり、その事実はついに理性の侵入することのできない領域であるとする大前提が隠されている。だがそもそも人間の定着の意味は、生物的な決定因を排除しないかぎり、常に偶然性によっておびやかされる。それではあの黒潮のまっただなかに続けられてきた幾百年の生活から偶然性を消去して、あとに残るものは何であろうか。そこでは何が起り得て、何が起り得ないのか。彼等の生活の根底に横たわる最初の選択は何か。それが分るなら、全体社会と部分社会をつなぐ橋がみつかり、日本的規模における必然と自由のからみあいはおのずから明らかになるだろう——私をこの小旅行に駆りたてた

臥蛇島の遠望

原因は、この問題意識を一滴てのひらに垂らして全身になすりつけてみたい衝動にほかならなかった。

船は去っていった。十袋の押麦と一個の郵便行嚢と共に、私はそこにあった。私はひといきついて、眼のまえの雨をはじいている異様に厚く大きな葉のとげで指をちくりとやって、到着を確認した。「あざみじゃないか」ぼんやりつぶやくと、傍にしのび寄っていた裸足の人影が口をきいた。「山ごぼうですが」「食べられます?」「はい」未知の客に寄り添ってゆるゆる流れる煙のような触感だ。植物性の匂いがたちこめる小屋のなかで、郵便物の配分がはじましていた。返事を急ぐ場合は、浜で書いてその船に託すことも多いという。駐在員になっている青年が「臥蛇島郵便局」なのだ。行嚢は彼の手でなければ開くことができない。立膝をして選り分ける彼に人々はある種の権威を素直に認めている空気だ。初老の男までふくんで五、六人、よだれを垂らさんばかりにみつめている。その一通。福岡県嘉穂郡稲築町から届いた女文字。「そらきた、炭鉱だぞ」と私は思った。九州のどんな辺地へいっても炭鉱と紡績だけは太陽と月みたいについて回るのだ。移動証明書と領収書、一葉の写真、文言はない。男は手数料を記した半片をゆっくり眺める。「三十円とられる」駐在員が伸びあがって、のぞきこんだ。「三十円なら安か。S子は六十円とられとった」男はふうんとうなったきり、写真の方に移る。案のごとく、四、五歳の男の子が炭鉱住宅と一見して分るガラス戸を背景に、盛装した袴すがたで立っている。男は一度だけふとい親指でその上を拭くようにした。私はどうやら言葉が分りそうなので、ほっとしていた。会話をきいていると、種子島と同じくタ行の発音がうまく出ない。「美しい」が「うちゅくしい」、「水」が「みじゅ」となるほかは、かなり早口でもついてゆける。

　あなたはそろそろ地図を見たがっているだろう。鹿児島県大島郡十島村《じっとう》——それは種子島・屋久島と奄美大島の中間、鹿児島から二百キロないし三百キロの距離に散在する、名にし負う七島灘の八つの島々（口之島、中之島、臥蛇島、平島、悪石島、諏訪之瀬島、小宝島、宝島）のことだ。人口二千五百六十人。公務員を除けば所得税を納める者はいない。事業税が二人。税収あげて百二十五万円。徴兵令は明治四十年、小学校令は昭和五年に布かれた。それまでは各島で資格

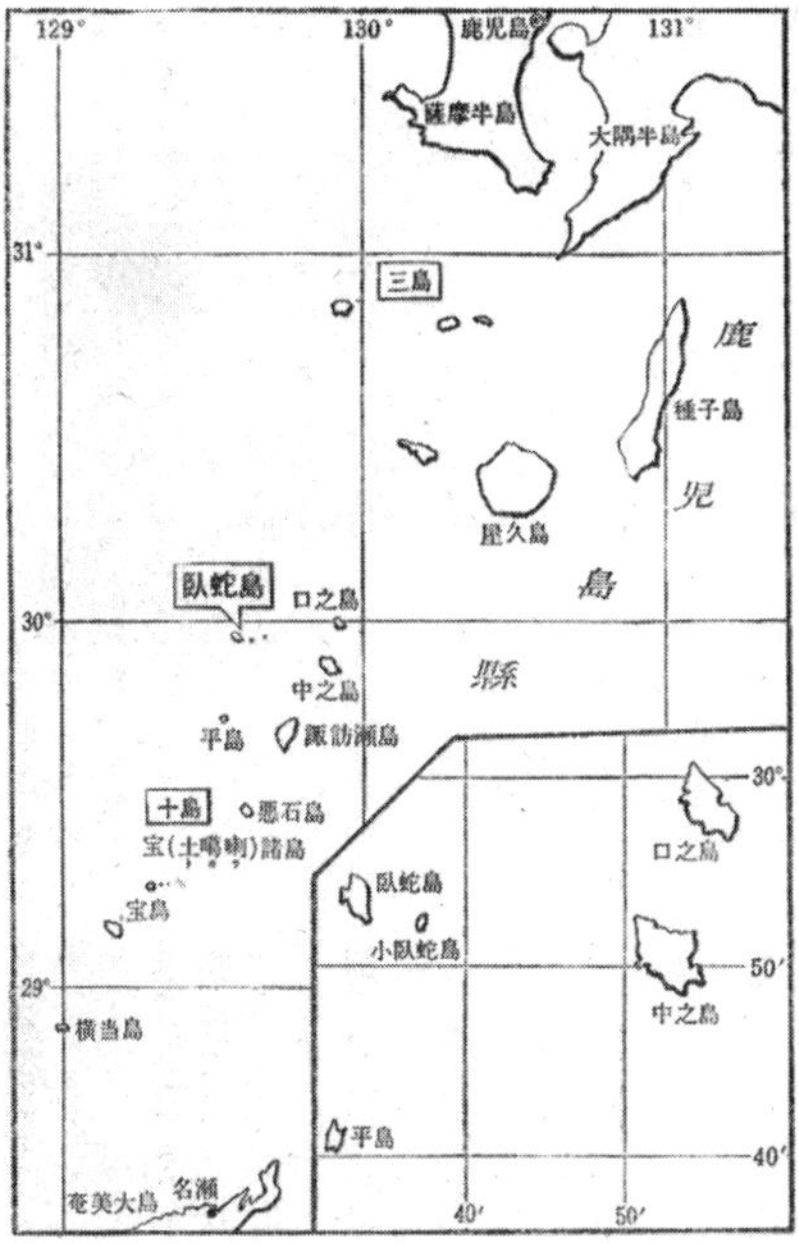

の有無を問わず雇ってきた教師による寺小屋だったのだ。電燈と診療所と三軒の個人商店が戸数二百の中之島にある。「中之島は十島村のトウキョウですよ」その言葉の五十パーセントは皮肉やユーモアでなくて実感である。「それじゃ、村役場はワシントンのホワイトハウスですな」そのときはじめて相手は苦いものをみたして笑いだす。なぜなら、十島

村役場は鹿児島市汐見町二十一番地にあるからである。その同類には薩摩半島の沖合にある三島村（竹島・硫黄島・黒島）の役場もあるが、交通の不便さではくらべものにならない。もちろん種子・屋久または大島・沖縄航路ともちがって、交通機関は村営船一隻だけ。その船も月二回平均の不定期だが、臥蛇・平・悪石の三島は月一回である。その船に乗ろうとすれば、あなたは鹿児島港の埠頭に近い木造二階建の役場の入口にある小さな黒板の前に日参しなければならない。それには「十島丸何日何時出港」とチョークで書かれているのだが、まるで暦をめくるように無造作に毎日延期されていく。一行の説明も加えない非情さだ。そしてそれは七島灘という専制君主のような海に向って人間のとりうる唯一の賢明な処置なのだ。あなたはその建物に入って、次のような文書の一節を読ませてもらえるかもしれない。

——偶々村内よりの出稼者が急用で渡島せねばならず、県外の遠方より帰鹿し、配船を要望される事例も沢山あるが、容易に運行計画変更が不可能な場合もあり、又出港直後のような場合もある。実に悲しき事態ではあるが止むを得ず一週間以上を船待ちで空費しなければならない。その末辛うじて帰島の機会は訪れたものの、休暇の都合等で滞在する事はできず、海岸までの上陸で短時間の面接に終り、その船で涙を呑んで帰った事例もきいている。特殊海域に包囲された内幕は凡そ御了承願えるものと思考致します。（十島丸建造資金転貸債の償還についての要望書）

もし役場が八つの島のどこか一つにあるとしたら、不便な島の村議は最低二週間家を離れなければ村会に出席できない。現に五月二十六、七、八日に平島《たいらじま》でひらかれた村内の校長・分校主任会議のため、宝島の校長は十九日に出発、六月四日に帰りついているのである。ときには半数の村議が集合しているのに、残りは時化のため身動きできないことも起りうる。しかも唯一の足である、この村営船は毎年六百万円、すなわち総税収の五倍の赤字を出しているのだ。鹿児島県が日本の僻地であることはだれも疑わないだろう。新聞ラジオの普及率からみても全国最低である。その鹿児島県下の学校は教組の基準によると、三分の一が僻地である。その鹿児島県の僻地の王者はどこからおしてもわが十島村であり、そして臥蛇・平・悪石の三島こそはその頭にいただく王冠である——というふうな力みかたをすると、まるで火事の大きさをうれしがっている弥次馬みたいだが、池山校長の話では「村には自転車が三台あります。口之島と中之島と宝島です。中学校の就職補導用に校庭で練習させております。自転車をのりまわせる、平らなところは他にありませんから」ところが船内でのりあわせた宝島の女教師は私の受売りをきいて、クスリと笑ったものだ。「それはもう壊れております」だが自転車の話はそこでおしまいになるわけではない。校長・分校主任会議で私が「三台の自転車……」といったら、たちまち異議がわき起った。「小宝島にもありますよ」「悪石にも」「それじゃ五台ですか。ぼくは役場で聞いたのだけど」「村当局の政治的な数字でしょうよ」大笑いである。「でも、宝島のはもう壊れているというじゃありませんか」今度は宝島校長があわてる番だった。「あっ、それは早急に修理します。今年度の計画にちゃんとはいっています」

私は問題の崖道を雨にうたれてのぼっていった。それは灌木に蔽われた斜面に稲妻形に刻みつけられているのだが、途中で手がつきたくなるほどの角度になり、一歩誤まれば命にかかわることと必定だった。しかし人間が危険を自覚するとき、日頃の何十倍かの防禦率に高まるのであろう。この道で事故があったことはまだないという話だった。――この道を島人は四十五リットル入りの重油のドラム罐をかつぎあがり、それから二キロ五百のなだらかな上り坂を燈台まで運ぶ。その報酬一罐あたり二百五十円、空罐をおろすのが八十円。年に一度島全体に総計三万円の収入をもたらすこの労働は、燈台のおかげで臥蛇は飛躍的によくなったといわれる、その飛躍の経済的側面におけるすべてである。小学校一年生の子供たちが私の先に立ってするするとのぼってゆく。私はこの子供たちが生まれてはじめて自分の力でここを降りてゆくときのことを想像した。海と同じ平面に立つときの印象、それは一つの新世界の誕生にひとしい。そしてちょっとしたことにも生命が賭けられねばならない戦慄とともに、彼のうちの大人が片眼をひらくのだ。「冬の白ばえの頃はあの波止場は使いません。船は島の南に着きます。そうなると文字通り両手両足で木や草を頼りによじのぼるのです。翌日は皆寝ますよ」燈台員の話である。

部落は垂直距離で五十米ほど崖をのぼりきったすぐ上の台地にある。竹を組んだ壁のために、胴がすこしふくらんでみえる家々のまわりをはげしく雨がたたいていた。荒涼とした色の世界であった。篠竹とすすきの間に見えがくれする屋根のうち、一、二軒が黒いルーフィング・ペーパーで葺かれているほかは、人工的な色彩はまったくなかった。植物の枯れた色だけで、ただそれだけで構成されている人間の住居というものは、自然色に馴れすぎているくらいな私たちにさえも、ぞっとする沈痛な刺戟を与える。家というよりも巣とよぶにふさわしい住居群のそこここには、また抜けおちた歯のあとの穴のような空地があって、取り壊された家の跡を示していた。草の茂りぐあいで古いものもあれば近年のものもあることが分るのだが、それらをかぞえあげれば十数戸分にもなるであろう。いわば半ば廃墟であり、半ば生きた聚落であるこの空間には、どこか映画で見るインカ族の安息にみちながらしりぞいてゆく穏かさがあって、凄まじい思いをやわらげていた。だがここに一人の中世の流人が蓬髪と縄の帯で立っていたとしても、いささかも不調和ではなかった。もはや芝居の舞台装置でしかお眼にかかれない、あの鈍くしびれた古い日本の色——それを目のあたりに見るということは、いかに神聖な苦痛であることか。

燈台の小使をしている栄造さんが追いついて、スーツケースとバッグを防水布にくるみ、かついでくれた。宿舎は燈台にあてられていた。彼は自分の家の前にくると、魚の切身を持って出てきて、道ばたのハドの木の葉をむしり、それで包んだ。私はそのぶよぶよした肉を受けとり、一緒にあるきだした。「何の魚だろう」「さわらです」雨はてのひらに感じるほど重い滴をたたきつけ、白い虹のような魚肉のうえを流れた。「すみませんですな、天気が急に時化てしもうて」早口の彼が「天にかわって」詫びをいう。私はがくんとつまずいたように返事に窮した。好奇心というものは観察の対象に向ってはなんとも説明しかねるものだ。臥蛇までの道程で、私が実は浅薄な好奇心しか持っていないことをどうして隠しおおせるか思案してきたのだ。だがこの嵐に近い豪雨のなかで、何の用できたのかも分らない旅人に天候の悪さをまるで自分の罪であるかのように詫びられてみると、私はすべての努力がむだであることを自覚した。「もの好きなばかりに、迷惑かけますなあ」栄造さんは返事をするかわりに、「ふえーっ」と叫んだ。ひとかたまりの風がどっと落ちてきて、眼と鼻に細かい水滴の幕を濡れぞうきんみたいにおしつけた。私は呼吸ができなくなり、登山帽をぬいで顔の前を蔽った。「もうすこしです。その角を曲れば楽になります」彼の言葉通り、道を折れると風はうしろからあふりつけて、私たちを小走りにさせた。そして頭の上に四角な建物のいただきと気ちがいのように廻る風力計があった。

「あの廃墟のような家の跡は何であろうか。私をとらえた最初の疑問はそれだった。礎石ばかりでなく、壊れた甕や食器の破片から竹壁の一部にいたるまで、そこには何かあわただしく立ち去っていった者の匂いがこもっていた。人々は私の質問に対して、そっとしておきたいさびしさに触れられたという顔をするのだった。その古いものはすでに跡をつぐ者のないまま放置された家であり、新しいものは近年島の暮しに耐えかねて去っていった者の住居の跡なのだ。彼等は決して棄てられたとかとり残されたと思っているわけではないが、しかし人口の一割すなわち六人が未亡人であるといったこの島で、今はすでにいない者を思うことは賑やかさを増す方法ではない。明日のことを、次のことをと考えつめていくほかに、ランプもろくろくつけないで迫ってくる闇を迎えるすべはない。日本人が感傷的でありながら感傷ぎらいであること、つまり内発的にセンチメンタルであるがゆえに、無縁なものから感傷を刺戟されるのを警戒すること、それ自身が感傷的な態度であるから警戒心をゆるめた場合には一度に奔騰すること――これら大衆芸術からみごとに利用される心理構造の起源は、定着者の小社会における共同体制が一部の離脱によって動揺することにあるのかもしれない。

この附近の島ではどこでもそうらしいのだが、碑銘のある墓でまず古いのは元禄あたりだが、享保になるとがぜん数もふえ形式も整ってきて、それが明治三十年代まで続いている。しかし大正、昭和になると一挙に粗末になって、丸い小さな石を積みあげたまま誰の墓とも外部の者には分らないものが圧倒的に多い。このことから類推すれば、幕末から明治中期までが、かつお漁を中心とする十島漁業の最盛期であったらしい。現在、臥蛇の長老は明治三十年生まれの肥後定一さんだが、彼に昔の漁の話をしてくれと頼むと、なんの屈託もなく地面にしゃがみこんで語りはじめた。まだいささか茶目っ気を残している、敏捷な表情の老人である。

――それは昔はこの島も活気があったものです。年貢船と呼んでいた大きな帆船がありましてな。いつもは二日がかりで島中が編まねばならない竹の綱につないで陸に引きあげていたのですが、春秋二回かつお節を運んで鹿児島へいっていました。帰りには半年分の食糧・日用品を積んできたのです。丸に十の字を描いた十二反七尋の帆をあげて、船が錦江湾へはいってゆくのはうっとりするように勇ましくてきれいでした。なにしろ御一新前には島津の殿さんも「臥蛇の船はまだか、まだか」と待ちこがれたといいますからな。私たちの若いころでも臥蛇の船が着いたとなると、市内のかつお節問屋が争ってもてなしたものです。六挺櫓十四人乗りのかつお釣船が二隻、十七反十二尋の網で餌をとる伝馬船が一隻、そのほかに個人所有のくり舟が二十三隻ありました。それが今ではくり舟が五隻あるだけです。

そのころはみんな「なかま漁」、つまり共同漁業でした。なかまというのは十五歳から六十歳までの男のことです。本卦がえりがくると「なかま外れ」になります。もっとも網のつくろいなどすると半人前もらえましたが。船頭と船もち（管理者）は毎年交代で正月に選ばれます。この二人と神役には五十匹以上とれたら一匹ずつ、百匹以上は二匹ずつ働き分のほかに分け前がありです。後家には仕事をしなくても半人前ずつやりました。七島（今の八つの島の当時無人島であった諏訪之瀬を除く）で米麦を食べるのは臥蛇だけといわれるくらい景気が良かったのです。それで臥蛇といえば鹿児島の者だって喜んで娘をくれました。

なかには悲しい話もありますよ。私の婆のころは奄美では他の島に縁づくことを禁じていたそうでして、十島の男が奄美の女と馴染んだら、女を行李に入れて船に積んだそうです。さあ、難破したり漂流したりして行ったんでしょうな。そして見つけられると女は七日七夜の割木責めにあったといいます。

なかま漁が崩れたときですか。私は十九歳のときでした。崩れた原因はまあ、若い者の利己主義とでもいいますか。丸木舟のほろ引きというのが流行ってきまして、その方が一人でやれて魚もたくさん揚ったものですから。そうです。かつお節の製造は前から個人でやっていました。だから魚は浜で分けていました。釣船が帰ると、女たちも総出で降りてきまして、賑わったものです。――

彼の話から明らかであるように、臥蛇はある意味で、停滞している社会ではなくて、退化している島なのだ。共同漁業を崩壊させたものは個人的規模の手段による生産力の発展である。しかし、それはたちまち山川・枕崎を根拠地にする大規模な私的経営に圧倒される。敗戦後、この傾向はますます拍車を加え、私が滞在していた八泊九日のうちに、甘藷の植えつけどきでほとんど海に出る暇もなかったとはいえ、この間の漁獲は実にさわら一匹という状態に追いつめられている。だが他地方から続々と南下遠征してくるかつお船団は島の沖合数百米のところで一分間に数十尾を釣りあげているのを、目のあたりに見ることができる。彼等の共同漁業をうち砕いたものと同じ力が、わずか三、四十年のうちに彼等の漁業そのものを根こそぎにしたという事実は何を意味するのだろうか。人はそれを資本主義社会の必然だという。なるほどそれは客観的な傾向ではあろうが、それよりほかに道はなかったという主体的な側面での宿命論に私は賛成できない。だがそれはともかく、戦前の一時期には三十数戸、百数十人まで膨張した島の人口が明治十七年の十八戸、八十二人を下廻る状態にまで減衰していったもう一つの原因は、戦争とその後につづくアメリカの直接統治に求めなければならない。

といっても、それは彼等が何かをしぼりとられたということではない。過去の藩政時代に島津が一戸四十本のかつお節をしぼりとっていた頃にはまだましであった生活が、資本主義によって海そのものを奪われてしまった今日になると、もはやしぼりとられる何物もなくなってしまっていた。にもかかわらず、人々がかろうじて自給しうる条件のもとではそれなりに定着者の数はふえつつあったのだ。この傾向を逆転して、先祖返りの方向へ追いやったものは何であったか。それはこの島を無視し、放置し、文明から完全に疎外させるという形で加えられる力である。どのように苛酷な搾取もこれ以上に恐ろしいものではありえない。昭和十九年まではどうにか船がやってきた。しかし二十年になると、ついに一隻の汽船もこの島を訪れなかった。燈台は爆撃され、部落は銃弾をあび、空では日本の飛行機がたたき落され、沖合では艦船が沈められた。そして軍政下におかれてからも、この島にアメリカ人が上陸したのはただの二回にすぎなかった。最初の間はいくらか物資の供給もあったが、いつのまにかそれも途絶えてしまった。二十七年二月、島が「返還」されたとき、報道関係者その他は幽鬼のような島人を見ておどろいた。「そのころは何を食っていたんです」この問にもはっきりした答は得られない。ただ彼等は「海岸の蜷《にな》など食っていましたがなあ」とか「あのころを思えば今はほんとに楽になりました」とかいうだけである。その状況をいくらかでも理解するには、「大島の蘇鉄地獄」という言葉を知らなければならない。奄美大島は有名な島津のさとうきび管理のために始終飢えにおびやかされた。そのとき住民は毒性のある蘇鉄の幹を輪切りにし、灰汁で煮て、太陽にさらし、それを搗いて食った。海岸にずらりと干してある輪切りの蘇鉄の異様な臭気をおぼえている人はまだ多い。その「蘇鉄地獄」の記憶が臥蛇の人々を助けたものと思われる。私がひそかに聞いたところでは、蘇鉄を食い、びろう樹の芯を食い、その他の毒草を灰汁で処理して食っていたという。はじめにたずねた山ごぼう——それはやはりあざみらしいが、燈台のKさんは根を食べるといい、分校の比地岡先生は茎を食べるといったのに、島人がはっきり返事をしないところを見ると、根も茎も食べなければならなかった時があるのであろう。あるいは今も。

「だがほんとに苦しかったのは、祖国復帰の直後のことです」と、ある青年は一言もらしたまま、口をつぐんだ。なぜか。村当局は臥蛇の状況を見て、この島を無人牧場にし、島人を全部中之島へ移すという計画をたて、勧告してきたのだ。そのとき人々の心のなかに何が起ったのか。動揺もあった。勧告どおり、中之島へ移る者もあった。「内地」へ移動した者もあった。しかしこの島の岩の上に生まれ、その上で育ち、その一人と結婚した人々にとって臥蛇のない世界は世界ではなかった。彼等は泊りこんだ吏員の勧告にも首を横にふりつづけた。いや、どんなふうに拒んだのか、私の滞在中、彼等が何かを拒んだのを見たことがないので想像もつかないが、ともかく彼等はいまも臥蛇島に住んでいるのである。住むという言葉を私たちはあまりにも軽はずみに使っているのかもしれない。彼等にとって、住むということは「そこで死ぬ」という契約を土地と取りかわしたことである。

人々が廃墟について語りたがらない理由はそこにあったような気がする。それは「ここであなたは死ぬつもりですか」という質問にひとしかったからである。そのような質問に軽々と答えるのは不遜ではないか。自分がある土地に生まれたことは、その人にとって最大の偶然事である。

だからこそ彼はその事実を重く取扱わねばならない。能うかぎりの努力、知るかぎりの沈痛な色をそこに重ねていってはじめて、明るんでくる空のようなもの、それが生の秘義であることを理解する者は日ましに少くなった。だがこの島の人々は役場の無人牧場案に対して、魂のそのような種類の色彩をもって答えたにちがいなかった。

たしかにそれは一種の保守性である。資本主義が彼等を搾取の対象としてすでに見放している以上、彼等の運動は「おれたちを買え、島を買え、家を買え」というスローガンで衝突すべきであるように思われる。こういう要求はすでに不況の極点において資本の流通過程から無視され、放置され、疎外されつつある南九州の貧農地帯一円にひろがっている焦躁のなかにあらわれている。本音を吐けば、もはや何もかも売りはらって都会の難民の群へ流れこみ、一気に社会変革を迫った方が早分りだというくらいの条件は今でもあるのだ。しかし、そのような故郷放棄の形で進められる変革には、かならず主体性の欠落が見られるはずだ。速度からいえば、おそらくその方がスピーディであろうが、できあがったものは当然焼きの悪い革命であるにちがいない。そして、焼きが悪くても何でもかまわないから一日も早くと考える層は、あんがい中間層でしかないという事実は、もうすこし嚙みしめられなければなるまい。

あなたはさっきから質問したがっているにちがいない。臥蛇という地名は蛇と関係があるのではないか。そこには沖縄や大島のやつよりすこし毒が薄いといわれるトカラ・ハブはいないのか、と。だが残念ながら、ここには蛇はおろか蛙もいないのだ。そこで先生は大汗をかきながら教室でとんだりはねたりして蛙の生態を教えこまねばならない始末だが——私はときどき考えたものだ。せめて人体に危害を加えるような動物の一つでもいたら、それを逆に攻撃するもう一枚上手のやつや、たくみに逃れる狡猾な生物などですこしは緊張と賑やかさがますであろうに……この島の動物たるや、すべて弱々しい無害な一族ばかりなのだ。崖の突端に巣をかけ、まっしろな糞で岩を汚している無数のいぬどりという海鳥がいるが、これは綱のさきに輪を作って上から垂らし、引っかけると難なく捕えられるまぬけた鳥だ。北へ渡るのか、南へゆくのか分らない白鷺がいる。これもふいに驚かすと、すくんでしまってたちまちつかまる情ないしろものだ。キュルキュルと鳴く、かろうじて熱帯風の赤ひげ、ほとぎすにうぐいす、尻だけがやけに紅く透いているちっちゃな蜘蛛、羽の破れたもんしろ蝶、巣を見失ったらしい一匹の穴蜂……もっとも水際にへばりついているわずかな珊瑚礁で伊勢エビでもとろうとして穴に指をつっこむと、「キダカ」と呼ばれるうつぼに指をぱっくりやられかねない。こいつにかかると、指はまるでナイフでアスパラガスを切るみたいだという。

　だが、私がいいたいのは家畜たちのことだ。といっても犬も猫もいないこの島では、牛と山羊と豚と鶏が家畜のすべてである。人間の側からの一方的な感覚だが、彼等はどうも普通のケースとちがった位置におかれているようにみえる。いわば人工衛星にいれられた犬や猿に惜しみなき涙をそそぐ動物愛護の精神と反対の極にあるものだ。はじめ私は道ばたの草むらにつないである牛の傍をすりぬけたとき、その牛がまじまじと私をみつめるのに閉口した。「内地」ならば、ふてくされて知らぬ顔の半兵衛をきめこむのを得意としているこの獣がゆっくりとみつめる大きな眼には、なにかお互いの寂寥感を媒介とした会話の可能性みたいなものが感じられて、狐でも狸でもかまわない、生ける物と交渉をもてるものなら、「化かされる」という形式でもよいから招きよせたいという気になるのだった。昔の妖怪譚などはこんな孤島や森に住む人たちが孤独をまぎらすためにむしろ進んで「化けてほしい」と願う欲求の方に相当の比重をかけて考えてよいのではあるまいかと思うほどである。山羊にしてもあちこちの岬に放し飼いされ、ほとんど野性化して気ままに繁殖しているが、ゆうぐれ燈台へ帰ろうと急いでいるとき、はるかな突端にたたずんで身を切るような水平線を眺めているやつには、ドーデーの「スガンさんの山羊っこ」などとまたちがった殉教者風のおもかげを発見する。「おうい」と呼ぶと、数百米向うからふり返って人影を探すその仕種には、獣の側から発信される奇妙な同甘共苦の念がこもっている。その山羊が平島へ渡る私と一緒にハシケに積まれたことがある。例の崖道を用心深く降りている私の傍をどどっと白い風のように駈けぬけていった二匹のそれは、波止場から二米も下のハシケにぐいと首の縄を引いてひきずりおろされた。山羊は垂直の岸壁に脚をつけたかつけないうちに舟に納まったが、その瞬間私はふいに「また二匹分だけさびしくなるなあ」という歎きにつきあげられた。——しかし島人はこういう不合理な感傷にはいっこう無縁であるようである。どんな雨風にも牛はつなぎ放し、山羊はうっちゃらかし。こんなぐあいでは山羊の所有者もはっきりしまいと思われるのだが、「なに、あれはあまり遠くへは動きませんから」といった調子である。もちろん本人も山羊の頭数は知らない。そこには残酷な冷たさがあって、島人のその他の心理とくっきりした対照がある。思うに人間が犬や牛馬を役畜として狩や農耕に使わないならば、それらは単に不時の食糧であるにすぎないので、こんなに乾いた態度がとれるのだろうか。

いや、もしかするとそれは野ねずみに対する憎悪と恐怖がのり移っているのかもしれない。そいつは主要作物である麦と甘藷に大害をあたえる。私はこの島に適していると思われる作物を色色数えあげてみたが、人々の話ではことごとく台風とねずみによって完全にだめという結論になるのだった。台風はこのあたりで停滞するので風速二、三十米の風が四、五日から一週間吹きまくる。島の絶壁にぶっつかった大波のしぶきを風が運んで、海抜二百米くらいは葉っぱをなめても塩からいくらいになる。それらの草や木はべっとりと黒くなり、太陽が照るとたちまち真っ赤になるという。だがねずみの害もそれにおとらない。今年の麦はそのために半作だったときいた。ねずみについてこんな話がある。数年前、樹木の少い平島から二十五キロ離れた臥蛇へ家を建てる材木を相談にきた。臥蛇では快くそれに応じて伐採から運搬まで手伝った。さて、お礼をというがどうしても受けとらない。たって繰り返したら、それではあなたの島にねずみが少いのはイタチがいるからだ、そのイタチをほしいという。平島からはさっそくわなで捕えた五匹のイタチを送った。それは山に放された。「それでどうなりました」「さあ、ちかごろ家の中にめっきりねずみがふえました。イタチがふえるときはねずみが逃げてきて家の中に多くなるといいますから、だんだん繁殖しているのじゃないでしょうか」そして人々は甲子の日に「子祭り」をする。それは六十日に一度の農業休暇の役割を果す。ねずみのご機嫌をとるのではなくて、作物の「根祭り」だという人々もあるが、大部分はやはりねずみとの関係を強調する。とすればそこには動物との対話があるわけだが、食糧そのものである家畜はきわめて非情であり、食糧を奪う動物には握手を求める。そこになにか人間のエゴイズムの本体とでもいうべきものを感じるのは私だけであろうか。

孤独をうち消すためならば人間はどんなことでもする。家一軒分の木材と五匹の雌雄さだかならぬイタチとの不等価交換は、その背後で隣りあっている島との何度でも想い起すことのできる温暖な交流を成立させ、それによって十分埋め合わされているのか。それとも食糧を確保するためには何物も辞さない、強敵たるねずみに供物をささげるみじめさもいとわないというのか。それは一般に「無邪気」とか「善意」とか呼ばれている心情が対決すべき相手をもたないのではなく、ある不毛さと向いあっていることを示す。定着とは、その低い生産性のゆえに外部からは窺うことのできない計算方式になりふりかまわずしがみつくことである。だがしかし、島人がすべて定着の姿勢にあるわけではない。平島で私に宿をしてくれたおばあさんは臥蛇から嫁にきた人だが、あいさつを交すやいなや「ここにきてもう二十七、八年になるけんどなあ、やっぱり臥蛇のことが恋しうてなあ、夢ばっかり見申すぞ。この島はちっとも自分の島のごとはござらんとなあ」といったのである。戦後一度も彼女は里帰りしたことはないという。荒れた海をへだてて故郷の島を恋い慕いながら、すぐ隣りの島で朽ちてゆく老婦人――そういう植物的な存在をこれまでも私は数多く見てきた。けれども彼女が青年たちの活動の細部まで耳をそばだてるようにしてうわさを聞いているらしく、「臥蛇はつまらん、つまらんといわれとったが、今じゃ臥蛇に花が咲きましたなあ」と断言したときは、あざやかな彼女の愛の偏倚に心をうたれないわけにはいかなかった。彼女にとって世界とは、臥蛇島と平島と海なのである。周囲二里余の島と一里余の島のどちらを選ぶか、それが彼女のイソギンチャク同然の人生にあたえられた唯一の精神の賭けなのだ。外部から見てどんなに滑稽であろうとも、彼女はきっぱりとその賭けに加担する。彼女の平島における定着は一種の流浪でしかないと宣言する。

私はまず島の楽書を見てまわった。それは岩のうえよりほかにはなく、岩の楽書はすべて絵でなく文字であり、文字はいずれも人の名前であった。たぶんそれは自分自身の名前にちがいなかった。十四戸六十人の老若男女のなかで絶えまなくあがる年少者の感情の水しぶきを受けとめるものは岩よりほかにないのだ。そしてその記号にならない記号が、ときに年月日をふくんだ自分の姓名でしかないということは何を意味するのだろう。

臥蛇には肥後と高崎の二つの姓しかない。平では日高姓が八割を占めるだろう。したがって苗字は島内では何の役にも立たない。というのは名前だけで区別できるように皆が配慮しているからである。平島で若い父親が赤ん坊に命名しようと首をひねっていたが、たいていの名前はつけられてしまっているとぼやきながら、机上辞典をめくりちらしたあげく、ついに珍子（くにこ）嬢の登場となった次第であった。届出は駐在員にすればよい。だから法律上七日のうちにとかいうのは、ここでは全く意味がない。すべては次の船までのうちにすめばよいのだ。死亡届も医者の診断書などはいらない。駐在員の証明で万事終るのだ。その書類が役場に着き、不審があるというので警官が馳けつけてくるまでどんなに早くても三日目になるのだから、その間を利用した証拠湮滅を計算すれば完全犯罪も易々たるものと思われるくらいだが、老人たちの記憶をたどっても、ずっと前に他の島で傷害事件があったほか犯罪と名のつくものはない。選挙違反くらいあるのではなかろうかというのが最後の期待だったが、平島で参議院議員選挙の繰上げ投票にぶっつかった。午前十時半に投票所の学校へ行ってみると、投票箱にはすでに十文字に紐がかけられ、立会人と吏員がのんきに談笑していた。もう選挙はすんだのだという。「有権者九十六人中八十四人の投票です。棄権の十二票は今年転勤した先生たちやその奥さんの分が五票、残り七票は病人や島の外に出ている者ですから、あと一票も投票する者はいません」と涼しい話である。「臥蛇だったら……」と比地岡先生はいう。「まず十五分ですみますな。投票用紙もらってから、先生、だれに入れるのですかときかれるので、私はさっさと魚釣りに逃げだすことにしています」どちらの島でもポスターは自民党の全国区・地方区候補一名ずつであった。別に縁故もなければ支持しているわけでもない。送ってきたからはったまでである。もっとも平島で青年たちのこういう会話をきいた。選挙公報を見ながら「おい、見ろよ、この共産党のNというやつな。こいつのいうことはなかなか面白いぞ」「面白くても、共産党じゃ問題外だ」「それでもな、こいつは思いきったことをいうぞ」いささかエキサイトするのは村長選挙だけらしい。

犯罪をデュルケェム風に社会拘束への反抗と理解するなら、ここには国家権力も宗教的慣行もさほどの拘束力をもって立ちあらわれていない。したがって犯罪の起りようもないのである。公式に自分の姓名を使う機会があまりにも少いということが、島の楽書に作用しているのであろう。人々の最大の敵は自然であり、言葉を換えれば飢餓と孤独である。飢餓を克服し、孤独を打開するものが善であり、その反対が悪である。この価値基準は確乎として動かすことができない。そして国家も神もこの絶対の基準に背かない範囲でしか受け容れられない。そこには一種の共和精神の源泉とも見るべき自由律が流れているのだが、それは後回しにするとして、安山岩の固い肌に名前を彫りつけるモニュメンタルなあそびには、自己の存在をどこかに公然とうち立ててみたい衝動があることは疑えない。

ただひとつの例外として部落から百米も高いところにある畑へ通じる農道のようやく傾斜がゆるやかになりはじめる粘土質に「大内山」と刻んでいる三字を私は見た。角力のしこ名などは昨年秋テレビが燈台にすえられてから知りはじめたというが、何かのはずみでこの巨漢のあまり晴れ晴れとしないしりぞきぶりを知って、あわれに思った青年がいるのだろうか。それとも十分な食物もとれなかった記憶が潜在的に少年の心の底に動いていて、堂々たる肉体にあこがれるようなあらわれ方をするのだろうか。ともかく、そこにはちかちかする波がしらよりほかに語りかけてくるもののない数十分をうずくまりつづけた幼い集中があったのである。そして岩の楽書はその固さのゆえに、瞬間の反応を刻むものとして自分自身との対話に不適である。他人の名前を書くためにもっとなめらかなものを、いつのまにか消されるものを選んだとき、それが畑へのするどい角度をもった坂の出口であったということは、私になにか深追いしたくなる衝動を起させた。だがそれは人にたずねて分ることがらでもない。いつのまにか私は目かくしされたみたいに道の両側に簇生している篠竹の壁にはさまれていた。急に暗くなった光線が日蝕のようにあたりをつつんだ。そこからが畑であった。土はあんがいに黒かったが、放棄したのかしないのか迷う程度に栗、玉蜀黍、きゃべつ、甘藷などがまばらに伸び、うねのいたるところから若竹が突ったっていた。壊れた甕、腐れかけた籠、ぬけおちた鍬の柄など。

私はまるで桟敷のように竹の生垣で小さく仕切られた一区画ずつをのぞきこんであるいた。たしかに耕作放棄されているところも多い。そしていま耕しているところはその幾つかを合せたほど広くなっている。おそらく昔はいわゆる「地割り」制度が行われたのかもしれないが、いまでは可耕地が広いのでそれぞれの土地を占有している。島外へ去った人の畑を耕したいときにはどうすればよいかとたずねたら、「まあ一言ことわるだけはしませんとね」という話だった。地代といって別にない。たいてい墓の掃除を引受けてやっているとのこと。田は一枚もなく、畑は平均四反。牛を使わないので労働力と見合って、これくらいが精一ぱいであろう。欲ばってみても——台風とねずみだ。家の敷地にしたって、だれかがここに家を建てたいと宣言しさえすればよいのだ。すると人々は農閑期に寄ってたかって木を切り、家を建ててくれるだろう。まず二十日もあれば小さな家が完成する。

だから、ここで欠けているのは私有の観念である。島の子供たちが四、五人固まっているところで珍しい物を一箇とりだして与えても決して受けとろうとしない。奪いあうなどはおろか、気味の悪い物を見たといった姿勢で後すざりしてゆく。しかし全員に一つずつ配分されると、鸚鳥のように声をそろえて「ありがとう」と合唱する。それは一面で私たちが自分や他人のなかに発見しようとのぞんでやまないドリームランドの一角をぱっと照らしだす瞬間であると同時に、どこか奇型の蝸牛のぬめぬめした感触をのこさずにはおかない。自分の馴れ親しんできた感情の原型にしっくりしないというわけではない。私が未来に抱くイメージとても、基本的にはこの子供たちの現にある状況と大して変りはないのだ。にもかかわらず私有への無欲が現代の欲望の体系と先端でふれあったとき、一般的な欲望喪失または解体の方へ向うのは何となく納得がいかないのである。

それは友人のことを「あの人と私は親子です」と表現するおとなたちについてもいえる。公文書によると、官有林とか村有林というものがあるにはあるらしいが、それを問題にする島人はいない。固定資産の所有形態で一番はっきりしている区分は、神山《かみやま》とそうでない山、つまり神様の土地と人間の土地である。もっとも植林した分はその人の権利になって世襲されてゆくのだが、そもそも売却されて商品流通過程に入ることがないのだから、境界などはおおらかなものである。ただしこういう事実はあった。先年、村有林の払下げを受けたといって島外から樹を伐りにきた。島人は一致してそれを追い帰した。「ここは私たちの島です。先祖代々、私たちが育ててきたのです。村じゃなくて私たちです。私たちにとってかけがえのない唯一の存在の場は日本でもなければ鹿児島県でもなく、十島村でさえもありません。この島です。臥蛇島です。私たちは臥蛇であり、臥蛇は私たちなのです。だから紙きれの上で官有であろうと村有であろうと、私たちの承認がなければ何一つ動かすことができません。やれると思ったらやってごらんなさい。私たちが水一ぱい、ぞうり一足あたえなかったら、だれがどうして樹を伐るのです。運ぶのです。どこに眠るのです。ハシケだって動かしはしませんよ」

――彼等がこの通りいったのではない。ぽつりぽつりとこぼれてくる言葉を拾いあつめ、つなぎあわせ、足りない部分を補えばこのようになるのだ。彼等の要求は前述した無人島案とこの村有林伐採にあたってはじめて明確な方向を示している。それは小さな島の排他性にすぎないであろうか。もちろんそれはあくまで防衛的である。しかしそこにはいわば大きな専制国家に対する小共和国の侮蔑、オフィシァルな圧力に対するパブリックな感覚の嫌悪といったものがある。おそらく私がぶっつかったぬめぬめしたものは子供たちが本能的にとばした唾だったのだ。――だが問題はそこでとぎれるわけではない。集団的所有が私的占有とまじりあった地点で、ほかならぬ資本主義そのものがこのあいまいな権利規定を私有の方向へ展開させることができず、かえって逆行させているような島……そこですべての観念がするどく細胞分裂してゆくためには、生産の基本様式とからみあった文明の全重量を賭けてたずねられなければならない問題がある。それが決定されない以上、人々の寡黙と言葉のあいまいさは避けられないのだ。

資本と国家の黙殺に抗して私的経済の発展を求めるか、それとも今日の瞬間からなおもいきいきと働いている共同体制を強化して全体としての発展をかちとるか――もちろん現実の課題はその両側から進められるべきであろうが、「内地」ならば簡単に生産力理論もしくは空想的社会主義としりぞけられてしまうそのところで、島人は懐疑もなくひたすらに台風とねずみ、飢えと孤独に反抗するすべての手を打とうとしているのである。そこにはもはや人間の要求を分断的にとらえようとする眼には映ることのない、矛盾にみちた生活の全貌といったものがあるのだ。

七歳の子供が母と兄に連れられて中之島にゆき、菓子を買ってもらったとき、「母ちゃん、兄ちゃんは店の人にお金をくれてきたよ」と叫んだという、その驚きに似た新鮮な疑問が島と「内地」から活潑に交わされてはじめて、私たちは小さな、しかも決定的な鍵を手に入れることになるのではないか。

海亀のように伏せたままじっと動かない家々の裏手にあたる聖なる林のかたすみで、どろどろと太鼓が鳴っていた。島ではじめてきく人工的なリズムは麦をつく木臼の音だったが、それにもまして何ひとつかきたてられるもののない、壁をたたきつづけるのも同然な乾いた響きが、断崖にはねかえり、うち重なる波の奥へもぐっていった。麦祭がはじまっていたのだ。八月の粟祭、十一月の稲祭に対する四月祭である。

しなえた烏帽子をつけた神役《かみやく》の若者がひっきりなしに山と岬と海の神々の名を唱える。やがて突然立ちあがるとたくさんの小鈴をふりならし、中世風の歌謡化したのりとを声高にわめきはじめる。まるで剣術使いみたいに足をふんばって、神様を脅迫している姿勢だ。とみるまに鎮静して坐りこみ、小指ほどの杓で麦酒《むぎざけ》が竹の幣に注がれる。つわ蕗の葉につつんだ麦団子がそなえられる。こうなるともはや子供たちのままごとと寸分ちがわない。ときおり膳に盛った麦をひとつまみぱっとふりまくのが最大の浪費である。

島の三大祭のひとつというので、前の日念入りに私がたずねたとき、祭は朝の七時からという話であった。しかしその時刻に行ってみると、十人くらいの男たちでさっさと進められている最中であった。私は家々にほとんど時計がないということを忘れていたのだ。時計があっても、トランジスター・ラジオでもないことには時刻を調整できない。それに学校へゆく子供たちをのぞけば、小刻みな時間を気にしなければならない何者もいないのだ。その子供たちたるやもっとも遠い家からでも三分でゆける学校の運動場で、始業の二時間も前からはしゃいだり、さえずったりしているのである。はたらいている島人から「いま何時ですか」とよくきかれる。「十時半」

とでも答えたならたちまち昼食がはじまる。だから七時からというのは朝食後しばらくしてというほどの意味であったにちがいない。小宝島ではほぼ戸毎に時計がそろったと報告されていたが、それは十八戸の部落に一個か二個のラジオがそなわったことを同時に意味するのであろう。何時からはじまりますかとはわれわれながら不覚で非礼な質問だった。——臥蛇分校にも備えつけの時計はない。それで比地岡先生は私物の古ぼけた柱時計を教室にもちこんでいる。「ふつう二年生か三年生にならないと時計が読めません」「経過してゆく時間の流れはわかっても、それに刻み目を小さくつけるということが理解できないのでしょうか」「そうです。その反対は距離の観念です。直線で一キロメートルの長さなどというのはもうこの島の子供たちの世界を越えています。そして分数なんかになると、またも小さく分割するという意味がわからなくなります。しかし分数を教えるのにとてもよい手があります。それは、たべものの分配という形で教えることです。すると子供たちは一種の危機感で受けとめるのです」

空気は溶けたキャラメルのように熱く、ねばっこく、半透明になっていった。祭はおそらく島の固有神と外来神の代表である若宮神社と八幡神社が一つ棟の下に同居している宮からまわりの祠に移り、そこが部落の中心と考えられている島中神社を経て、社務所と人々が呼んでいる海ぎわの建物に落ちついた。神役だけがいぜんとして二本の刀をさやから払い、抜き身を祭壇につきつけたりして奮闘しているが、人々は意外にけろりとした顔で雑談している。和服の着流しに鳥打帽の定市さん、背広に模造パナマの新助さんと二人の陽気な老人が一番めかしこんでいて、青年の大部分は畑仕事で見る姿とすこしも変らない。ご両人ともかつて神役をつとめたことである割には敬虔さが足らないようだが、山羊とあそんでいる岬の神々などはきっと祝福してくれるにちがいないという様子である。のりとがすんで、はげちょろけた塗膳が並べられる。そのうちの三つには塩漬けにして保存されていた眼の落ちくぼんだシビの頭だけが垂直に三角形をなして立ててある。ぎょろりと眼を天井に向けた異形の添物はたぶん神役と郡司役（島の長）とネイシ（巫女）の座を示すものであろう。神役と定市さんがその前に坐り、残りの一つは空いている。悪石には七人、平には四人の世襲の神役がいるが、臥蛇では一人。その一人がやめたいというと、師走から正月の間に後任が選ばれる。その方法は「おせん」という占いである。神酒をいれた徳利の口にさしてある紙で、人々の名前を書いてまるめたクジの上を廻していると、かならずそのひとつがくっついて離れない。「それは不思議なものですよ」と青年たちが強調する。

私は神役が世襲でないことよりも、神意によって生涯それをおしつけられるのでなく、人々のなっとくする理由さえあれば辞めてもよいということに興味をおぼえた。一般的に世襲よりも神意による選出の方が古い形式であるといえるだろう。しかし、それはこのような自由意志の承認をふくんでいたものであろうか。もしそうであれば、私たちのはるかに遠い過去における民主制度も相当なものではないか。島人がいうように家事や病気のつごうで神役を避けることができるなら、そこにはすでに神の意志から人間は離脱しうるものという規定があるのだ。平島にくらべると臥蛇島民はそれほど神の悪霊的な側面を認めていないかにみえる。彼等は社を移して運動場をひろげ、そのあとに学校の便所を建てたり、伝承的な神山を制限して水源保持に必要でない部分を伐採したりする。しかも彼等はそれを神からの決定的な背反ではなく、神の許した範囲での神からの離脱とみなしている風がある。あるとき私はうっかり神山へ迷い入ろうとしたら、同行の子供から「あぶない、死ぬよ」と警告されたが、その話を笑って島人にしたら、子供はかえって父親から「あんまり甘えるのではないぞ」とたしなめられたという。その父親はもっとも信心深い一人であったが、それでも島外からの旅人にまでは島の神の権威が及ばないと自覚しているのである。

臥蛇にはかつていた巫女ももういない。「そのネイシのお告げはよくあたっていましたか」あいまいな沈黙ののち「それでもネイシは戦争前までは警察の免状をもっていましたもんなあ。まるきり根も葉もないことなら警察が免状出すはずはないでしょうからなあ」平島で私は五十歳前後のひときわするどい光を放っている婦人からあいさつされた。一般に島の女性たちは私のような礼儀しらずを圧倒する端正な態度で相互につきあっているが、この婦人の顔にはそれとはまた異なった非日常的な渦があった。組み竹の壁がつくりだす陰影のなかに彼女は黒い蝶さながらに坐り、二言三言つぶやくとあとはふっつり黙ったまま帰っていった。その威厳にあふれたというよりは世界の重みを膝にのせているといった苦痛が私の方につたわってきた。私はみずみずしい娘たちのひとりをつかまえてたずねる。「あの人はネイシでしょう」「そうです」「ネイシは子供のときから決まっているのですか」「いいえ」「じゃ突然そうなるのですか」「はい」「なぜでしょう」「たいてい不幸な人がなります」それは結核が共産主義者をつくりだすという戦前の特高が流行らせた素朴唯物論とは似て非なる響きをもっていた。巫女と娘の間をつないでいる細い気根のようなもの……それは島に生まれたという事実の悲劇性を震える波のままにとらえる器官を女だけが占有しているということだ。点のような世界で幽閉され、裂かれ、しゃぶられ、消化されてしまったがらん洞の自分を厳然と支えつづける架空の柱が、いわば幸福な者たちによって霊感と呼ばれるのだ。このような巫女のいる社会では果物のような娘たちもまたかならず破壊されてゆく自己の未来をひそかにかつ確乎として予見することができる。男たちが神の選択にしたがう形をとりながら、その意志をある種の形式に凝固させ、それ以外の広い領域で不確定な自由を得るのに対して、女たちが神の強制に全くしばられつつ、神の内側でみずからを神にし、人間への支配権を逆説的に得てゆく過程は、現代社会における組織のもつ二種類の原罪を想起させる。神役の男と巫女への分裂——それがその後につづく人間の壮大な喜劇と悲劇のからみあいの発端であったことは疑えない。

私たちの前の膳には、シビの頭はない。赤い藻のトサカとこまぎれの刺身が二、三片、それに空っぽの吸物椀である。その椀のふたに陶土をとかした色の麦酒がとろとろと注がれ、その酸っぱい液体を一息に飲みほすと、式は終った。定市さんが「そら、〆太鼓を打て」と命じる。修験道の影響があるとみえて、線香の煙が明るい海の方へ流れるなかを人々は散っていく。この間、婦人たちはついに姿をみせない。青年たちは「さあて、学校でドッジボールをしようか、燈台へテレビを観にいこうか」とあくびまじりにいう。なんともさびしい祭である。軍隊の新兵同様、祭は解放感を漁りまわる日ではなく、無為をとがめられない日なのだ。

結局、祭の娯楽はテレビの総見ということになったらしく、子供を負ったり手を引いたりした島人が午後から燈台へつめかけてきた。あいにく変流のためのモーターが焼けすぎるというので数時間上映中止になったが、婦人たちは夕食もとらないまま芝生で子供をあやしたり、小使部屋で寝そべったりして待っている。貧しい村というものはたくさんある。しかし祭料理のひとつも作らない村は私の見たかぎりではこの島がはじめてである。だからこそ隣家に気がねもなく、客人の相手もせずにすむ気のぬけた安息がこの島にだけあるのだ。だがこの風景を村の生活改善に狂奔する教化趣味の大家たちに見せたら何というだろうか。きっと、せめてショウチュウと煮〆の少々くらいはほしいと叫ぶにちがいない。私はうすら笑いを隠して、燈台の頂きにのぼった。上海の方角に金星が光りはじめていた。岩に巣をこさえているいぬどりのしゃがれた鳴声がしていた。

島に渡ったら宝探しをしなければならない——理由もなく私はそう思いこんでいた。幕末のころ、この附近にイギリス船が来て、その船員の土産話がスティヴンスンの「宝島」になったらしいということを読みかじっていたせいか、燈台における最初の夜の夢はラム酒をかかえた一本足の水夫とつれだって跳びあるいているところだった。それだけではない、これまで読んだ十五少年だのコンティキ号だのの冒険怪奇的な断片がどっと脳髄のかたすみからあふれ出て、へんてつもない岩と草の風景をとりかこんでしまった。空想と常識のかくもばかばかしい握手を理解してくれる者は少年よりほかにない。ある日私は背の低い芭蕉林の斜面からぱっと飛びだしてきた小学三年生をむずとつかんだ。「おい、この辺に宝物があるはずだが、君は知っているだろう」少年はおびえた眼つきでみあげた。「たからもの?」「うん、この島のどこか大きな木の下に埋めてあるらしいんだよ」彼はちょっと考えて「ああ、ツギオあにが拾ってきた石みたいなものか」「どんな石だい」「ほら、こんな形をした……」指先で描いてみせたのはまごうかたなき石斧であった。

渡航前に私が大急ぎで眼にふれたかぎりの記録では、トカラ列島の生活史を古代にまでさかのぼったものはなかった。もしかするとこれはちょっとした発見ではあるまいか。急に私の心は勇みたってきた。宝探しの目標がはっきりした焦点をそなえてきた。石器がある以上、土器もあるにちがいない。それをひとかけらなりと手にとらなければならない。私は少年の言葉をたぐっていって、学校と民家に保管されている磨製の石斧を見た。それらは別なところから出土したものだった。そのひとつは学校の上の斜面にある大樹の根にはさまれて露出していたという。私はさっそくそのあたりを嗅ぎまわり、掘りかえした。しかし何の成果もないうちに運動場を歩いていると、意外にもそこに小さな破片が散乱しているのをみつけた。かつて社のあった土地をひらいたとき、たくさんの土器が出てゆえ知らぬままにうち棄てられてしまったという証言をも得た。私はもはや学問的意味よりも謎解きに似た発掘ごっこに熱中していた。

人々は犬のようにうろつく私を奇妙な表情で眺めていたが、わけを話すと好奇の眼を光らせ、学校の排水溝作業の合間に青年たちも林やくさむらの中にはいっていった。たちまち石斧一個と鉾状の扁平な石器が探しだされた。鉄製の剣が出て、畏れのために再び埋められた話、石ボウチョウを他の島人がもち帰った話などがひとしきりにぎわった。そして日がかたむくころ、やっと私は校庭に接する斜面の黒土層の地下三、四尺が土器の包含層であることをつきとめた。私の乏しい考古学上の知識からすれば、それはすくなくとも弥生式のかなり前期に相当するものと思われた。もちろん「内地」と島の年代を同列に考えることはできないだろうが、それは福岡県朝倉郡あたりから出る模様の少い縄文式と酷似した焼きである。私はまた部落周辺を探して櫛目文の入ったものや須恵器の破片をみつけた。

もはや疑う余地はなかった。島の生活の起源は古代のかなり奥深い時期にまでさかのぼることができる。そしてこのいまだに一坪の水田もない島でもっとも重要な祭が稲祭であるとはいえ、ほとんど縄文と接続するかもしれない古式の感情が保たれているのだ。この島で私が発見したものは何であったか。さまざまな形容を考えてみたあげく、私にはやはり「心情の縄文式」とでも呼びたい心地がする。それはかならずしも出土品を証拠にしていうのでもなければ、精神の発育段階に即していうのでもない。いわば「心情の弥生式」に対する日本の伝統的心理のもうひとつ別な型として考えるのである。あの怪奇と沈黙が重なりあった縄文土器の装飾性は、この島にみられるような孤独と不毛に向いつづけたあげく生みだされたものであることを私は信じるにいたった。おそらく稲作の伝来によって人々がほんの薄皮一枚だけ飢えから遠ざかり、湿潤な低地での強度な集団生活に編みこまれたとき、突然の上昇にもとづく緊張の緩和が独立不羈なるもののはてしない墜落をさそいだしたのであろう。それをいわゆる島国根性の出発点とみなすことができる。しかし島のなかの島であるこの地方には稲作も心理の基礎を変えるほどの成果をもたらさなかった。そのゆえに凍りつく沈黙と薄笑いの形をとった激情がまだら雪のような自由さでここに存在するのである。そういえば岡本太郎氏の美学に追随するだけのことであるようにみえるかもしれないが、単に弥生式に対して縄文式を推賞するだけでは、ひとたび対立物を見失ったひとみを開かせることは困難であろう。問題は縄文式と弥生式を美学のパターンとしてでなく、思想のエコールとしてつかみ直すことにあるのだ。とすればアバンギャルディスムと社会主義レアリスムの対立止揚という方程式は縄文式のなかの弥生式と弥生式のなかの縄文式の対立止揚というふうに変形することも可能であろうと思われる。

土器の発掘について、私はもうひとつの興味を抱いていた。それは平家の子孫であると確信している島人がどんな反応を示すかということだった。「平家はまず海老家に上陸してそこに住みましたのです。それから大久保、久須浜、おうら山と移って最後に今の部落になったといいます」この口碑は何を意味するのだろう。石器や土器は大久保からも喜久浜からも現在の部落周辺からも出るのだ。しかし人々は最初のうち、これらの出土品は皆平家が用いた物と考えていたらしい。それが私の説明でどうやらもっと古い物だということがわかると、平家云々の言葉は影をひそめ、思案に暮れる謎のまわりをめぐって質問の矢がとびはじめた。「まるい石に一字ずつ貴い字を書いたものがたくさん出ましたが、あれは何でしょうか」「一字一石経でしょうな」「この焼物は島の外から運んできたのでしょうか」「その人たちは南からきたのでしょうか、それとも北ですか」「どんな舟に乗ってきたのでしょうか」

私の返答があまり冴えないのをみて、煙管をはたいた老人がにこにこと口を切った。「人間には大昔しっぽがあったといいますが本当でしょうか」私は了解した。昭和十九年、難破船の木材をもらい受けて建てたという学校の正面に円陣を作っている彼等は、私の「科学」が祖先の栄光とどこか矛盾しあうことを感じ、おそらく寺小屋の教師から伝えられた怪しげな進化論への疑念で科学一般に対する懐疑を代表させているのである。それに充分答えるひまもなく、もうひとつの質問が青年から発せられた。「狐はやはり人を化かすそうじゃないですか」二十年前までは九州の片田舎でも狐が化かすのは常識であった。いまでも「昔は化かしたものだそうな」というくらいがそんな土地の若者の本音であろう。私がそう答えると、非難めいた声が集中した。「だってこの島には狐なんかいやしないでしょう。いないもののことがどうしてわかる」さっきの老人がまた発言する。「陸のことはともかく、海にはたしかに不思議というものがありますなあ」「へええ」という顔の私に、彼はちょっとおごそかなジェスチュアをした。「こんなことがあります、船に乗っていると前の方からもうひとつの船がまっすぐにこちらをめがけてきます。普通の船とちがうのは、それは波を切りません」「ははん」と私は応じる。「その船をよけるとまたこちらをめがけてくるのでしょう。あっちこっちよけているうちに瀬にのりあげたりするから、そんなときはかまわず突っかけろというんでしょう」いささか腰を折られた形で「そうです。やるぞと声をかけて進めば、ぱっと割れて何事もありません」「そんなぐあいに不思議というものはいつかぱっと割れるのですよ」長々とシンキロウの説明などはじめてしまった。すると向うは帆柱の先端に暗夜燃える火をもちだす。「ああ、それはセント・エルモの火といってね……」

あとにもさきにもいくらか緊張した会話はこのときよりほかにはなかった。民俗学者などはこころをおだやかに進めるところだろうが、私には彼等の変化の方が興味がある。思うぞんぶんかきまわしてみたあげく、その夜一匹のさわらで開いてもらった全島の歓迎宴で、教室のかたすみに彫像のように坐りつづけていた婦人のひとりが家から小さな青銅のつばをもってきて見せた。畑で拾ったのだという。比地岡先生はよろこんで「ごらんなさい。お話がわかったのですよ。でなければわざわざあんなものを見せはしません」そして「けれども臥蛇だからこれですむのですよ。平や悪石じゃまだやたらに土を掘るなんてことはできません」とつけ加えるのだった。なるほど私は平島の路傍にみつけた貝塚から二、三の土器の破片を拾いだしたことをわざと中年の島人に話し、「掘るのはいけないのだそうですな」と切りだしたら、彼は笑いながら半ば真剣に「その掘るということはあまりよくありませんよ」というのだった。しかし、ある古老は私の言葉に厳粛な表情で耳をかたむけていたが、多年の疑問がひとつ解けたという顔でいった。「あなたのおっしゃる通りかもしれません。ここでは平家が落ちてくる十代前から人が住んでいたという言い伝えがあります」たぶんそれは外来の客には決してもらされることのない内輪の口碑であったにちがいない。

ともあれ私はどうやら「宝探し」をすませた気になったのだから、勝手なものである。平家伝説を嘲笑することはたやすい。それを粉粋することもたやすい。しかし平家伝説を糧としなければならなかった全国数百の部落がそれを失うとき、そのかわりに補充される支柱が彼等の精神の地下からどのように生えてくるかを推定することはたやすくない。ましてどのような支柱にもなりえない荒野そのものを支柱とする、いわば近代プロレタリアートのあるべき魂へみちびくためにはどんな外力が必要であるかを計算するのは至難なわざである。もし「失うものは鉄鎖のみ」であるような精神を作りだすのは蚕食する資本でしかないという受け身の唯物論に立つならば、すでに日本とアメリカの権力グローヴからキャッチボールのようにやりとりされ、見棄てられているこの島々はいつまで待ったらよいのか。資本主義は決して彼等の平家伝説をうち破るほどの力をも、そこに割きはしない。彼等に残っているものはただ一枚の伝説の衣であり、それは永久に奪い去られることがない。日本資本主義の内面的な残酷さとは実にこのようなものだ。

けれどもそこになんらの自己回復の力がないであろうか。民衆の次元における平家とはいったい何か。もし平家が勝って源氏が敗れたなら、彼等は源氏を選んだにちがいない。それは敗者へのあわれみではなく、敗北した者でなければ民衆と物理的に接近する理由がないからである。源氏と平家は民衆の内部では置換可能の存在である。したがって彼等からすれば、源氏でない者が平家なのだ。平家でない者が源氏であるように。それはむしろ東西本願寺に対する関係といったものに近いといえよう。

なぜそのような理由なき選択が起りうるのか。ひとつの社会がようやく飢えと孤独から脱けだしたとき、かろうじて人間と人間との内部対立が可能になる。そのときあまりにも直接的な利害と、はじめておぼえた精神的対立の遊戯性が複合されて、闘争は人々を夢中にさせてしまう。島内が分裂して反目しあっている例はトカラでは二つの島しかないが、それはすこぶる激しいものである。中之島では土着民と大島からの移住者がほぼ伯仲した勢力でにらみあっている。波止場も動力船も温泉もそれぞれ別にして、目と鼻のところで競いあっている始末である。宝島では米軍レーダー基地を作らせないという点ではおおよそ一致しながら、反権力的な姿勢の高低でもみあっている。それは明らかに両島が他の島々よりも内部闘争が可能なまでに発展していることを示す事実であるが、一方はすでに上陸してしまった自分たちと同質の外来者に対する闘いであり、他方はまだ水際にある異質の外来者に対する反応の差からもたらされる血族的な争いである。日本の小社会における内部対立の型はすべてこの二種類の見本にふくまれると考えてよい。そこにはいずれも外来者という契機が内部対立の核になっていることに注目すべきである。つまりそれは対立が外部との関係から内側へ移行する過渡的な段階である。あえていえば、それは今世紀における階級闘争のアジア・アフリカ的スタイルでもある。

ところで一島十四戸の世界が分裂したならばどうなるであろうか。それはたちまちに生存不能の状況に達する。そこではまだ内部対立はどのような形態であれ、ぜいたく品でしかない。しかもなお島方《しまかた》が地方《じかた》に対抗するためにはどうしても無害な権威への架空の帰属が必要なのだ。それは対立不能の社会における一種の精神衛生法であるとともに、島津の在番（島役人）や商人に対してある有効性をもっていたことは疑えない。その証拠にどこの島でも在番が神社の高貴な宝物を平凡な品とすりかえて持ち去った話がある。もし私が在番なら、島人の心理的権威を動揺させるためにつまらない宝物でもすりかえたであろうし、また私が島人であれば在番盗人説を創造して復讐の楽しみにふけりもするだろう。だから問題は源氏か平家かではなく、平家か島津である。平家伝説もまた闘争の一形態である。内部対立という形をとらないで全社会が抵抗の姿勢をとりうる例証である。しかもこのばあい支配者は正面からかかる抵抗のシンボルを破壊しえないという弱点を持っている。

もしいま抵抗運動の臥蛇島型をA、宝島型をB、中之島型をCとすれば、そのエネルギーの強大さにおいてはABCの順となり、近代的な質においては逆にCBAの順になるであろう。今日の革新的主体の衰弱はこの逆比例する二種類の級数を小鳥が止り木に対するように盲目的にとび移ってきた結果である。AはCの祖型であり、後進型であるとともに、Cが資本の運動そのものの停滞によってより合理的な対立型への移行を食いとめられたばあい、Aをパターンとしてある種の復活を試みざるをえない。体験に根ざした、強大な統一的シンボルがうみだされるには、この循環運動を意識的に促進する必要があるし、そのためにむしろ運動の思想的潮流を「生産力理論型」と「ユートピア型」に分け、その二つのエコールの異なった方法論が交叉しあう地点に行動の体系を再建してゆくべきであろう。

なぜ私は平家伝説などにこだわるのか。島に渡る前には私もこれほどの現代的意味があろうとは考えてもいなかった。しかし「宝探し」によって偶然にもそれを壊しかけてみると、隠れた一連の心理的符号がジュズのようにつながっており、それは島の思想体系そのものであることがおぼろげにわかってきたのである。私はそれにかかわってある種の合理的思考の基礎を手軽にすえてみようとした。しかしそれは島人にとって部分的な説明でしかなく、大変興味はあるが生活の全局面に痛覚をあたえるものでないことはあきらかであった。私によって平家伝説を破壊された彼等は一瞬息を呑むような闇の底に沈んだが、またも手探りでその破片を拾いあつめ、同じシンボルを再建しはじめるにちがいない。

限界状況のなかでこそ人間は生を意味づけるための旗を必要とするのだ。そのために善意と啓蒙が何の役割も果さないのは、私の短い滞在のうちに幾度となく思い知らされたことであった。たとえば燈台のテレビは十島一の文明を誇る中之島の二十数名が新鋭動力船にのりこみ二十九キロの海上を渡って見にくるほどの魅力をもっているのであるが、それとても奇妙な食いちがいの上に成り立っている娯楽なのである。あるとき私は島人から飛びうつる蚤のかゆみをおさえながらドラマを見ていた。失業サラリーマンを演じているフランキー堺が病妻の待っているアパートへ最後のもち金四十円をはたいてコッペパン四個を買って帰るラスト・シーンで、私はそっと人人の表情を窺ってみた。彼等はいささかも動じた風はなかったが、「あら、またコッペパン？」という女房の鼻にかかった歎きなどはむしろ歓喜のさけびとして聞いているようにみえた。昭和三十年にはじめて鹿児島に修学旅行をしたとき、子供たちは宿屋の料理に手をつけず、家から携えた生キュウリをかじっていたという。絵本で汽車のイメージは知っていても、駅の機能はわからず、入場券でどこまでもゆけると思いこんだり、バスとハイヤーの区別がわからなかったりする子供たちにアイスクリームをおごった比地岡先生は、結局息子さんと二人で註文しただけの分を片づけねばならなかった。その修学旅行もあと三十二年に一回やっただけで好機を待つよりほかはない。

「そんな状態ですから、テレビはほんとに助かります。角力なんか見当もつかなかった子供たちが、今では女の子まで若乃花、朝汐といっています。一億総白痴化とかいいますが、ここではその〝白痴〟にするのにどうしたらよいか途方に暮れるのです」米軍政下の飢餓状態で乳幼児時代を過した栄養の悪い十人の子供たち、三人の中学生と七人の小学生をあずかる老教師としては、いつわらぬ声であろう。奄美大島に生まれ、東鉄大塚の駅手となり、悪石の代用教員から臥蛇へ昭和二十八年に赴任してきた彼は、教師ばなれのした生活人であるとともに、なかなか食えない土性骨をもった進歩派であって、キクラゲ栽培、タネイモの改良、牛や豚の飼育、簡易水道の設置などを次々に実現しつつ、島の風習に悪態をつくことも忘れないしたたかな顧問であるが、テレビの役割についてはいささか楽観にすぎると思われた。

なぜかといえば、おのが生活の発展に関する基本原理を子供ながらに理解しないで、単にみしらぬ世界のフラッシュをあたえられるだけでは、ますます子供たちを不毛へ追いこむとしか考えられないからである。現に教育番組を見たあとで子供たちはほとんど数行の独自な感想も記すことができない。それを単純に国語力の問題と限定するわけにはいくまい。一度私も、自分が魚の学校の生徒であると仮定させて作文を書かせてみたが、それもおおよそ白紙に近かった。しかしその際、子供たちが一人のこらず自分の苗字のあとに魚の名前をつけ、「二年、高崎いわし」「五年　肥後かつお」という風に署名しているのには少からぬショックを受けた。彼等の感情移入がここまで徹底しうるのであれば、そこから何かが引きだせるはずである。彼等はまず自由に楽書できる一枚の大きな黒板と豊富なチョークをあたえられるべきであろう。それから彼等が体験を通じて知っている単語を調べ、その組み合せだけで書かれた独自な教科書をもつべきであろう。さらに彼等はひんぱんな旅行の機会をもち、できうるかぎり他地域の労働者・農民の家庭生活に参加すべきであろう。もし五百人の「内地人」がこれに賛同すれば、十島全村の学童に及ぼすことが可能になる。子供たちに恩恵をほどこす立場でなく、彼等が島と内地の生活にそれぞれ欠如しているものを理解するようにさせることこそ彼等の比較能力、したがって創造性を拡大する土台となる。その方向を基準とする新しい方法論の発見につとめるならば、それは何人もなっとくせざるをえない教育の反官僚システムをうみだし、それによって民主勢力の教育宣伝技術も飛躍的に変化させられるであろう。私は平島での校長・分校主任会議で十分間の時間を許され、「どろぼう・乞食論」と称する一席をぶったが、現状のままでの島民教育は片手で乞食根性を促進する善意をそそぎながら、他方の手でどろぼう根性を奨励する啓蒙となり終らざるをえない。教師自身がそこではなんらの統一的イメージをもちえないでいるありさまなのだ。

私は榕樹の影が落ちている校庭の一隅で、死んだ水のような空気を震わせていた音を思いだす。それは平島に上陸した最初の発動機であった。発動機は小型の発電装置を動かし、それによって十六ミリ映写機を廻し、その余剰で他の教室にひとつの電燈をともらせるはずだった。つまり、島開びゃく以来の映画と電燈が同時に三日間だけおとずれたのであった。

映画は島人をとらえてしまった。「世界の消防」「スポーツに進出する女性たち」「自動車時代」「皇太子の結婚式」および高田浩吉・清川虹子主演「歌う荒神山」などのフィルムが毎日くりかえされたのだが、何度見てもあきないという定評だった。女流選手の高跳込があると、たくましい水着姿の放れ業に青年たちがどよめいた。清川虹子が安濃徳一味をバッタバッタと切りたおす場面になると、「昔は強い女がおったんじゃなあ」そして四人の処女会員をはじめ「眼が痛い、痛い」といいながら、女たちはあかず眺めていた。馬が走るのをはじめて見たという中年の婦人もあった。映画がすんで、ランプを消した夜ふけの戸をたたく音があった。「うちのお母さんがめまいがするといって吐くのだがなあ」トラベルミンの一錠を進呈したら、たちまちよくなったと感謝された。

電燈の光の下では、島人と教師たちが夜光貝の刺身をつつきながら懇親会をひらいていた。「こんな賑やかな晩は島はじまって以来でしょうな」あてずっぽうに水を向けたら、島人はゆっくりした口調で「今までにもないことですが、これからも二度とないでしょう」と断言するのだった。十島村を県庁の係長級の役人がおとずれることすら絶えてない。だからこの会議に教育庁の人事係長が出席したのは稀有の例であった。しかし島人はかくべつの事大主義をもって彼を迎えたぐあいでもなかった。もっとも、ある老人の話では、以前漁に出るとき帽子でもかぶろうものなら、「おや、官員さん、どこへ行かっしゃる」とか「あんたらは士族ばかりじゃなあ」と冷やかされたというから、階級制に対する敏感さは臥蛇よりもするどいといわねばならない。

参議院の繰上げ投票とこの会議を機会に、平島へかなりの努力をして映画がもちこまれたのは理由があった。四月の定期便で十島丸がこの島を一月ぶりに訪れたとき、全島が悪性の流感に襲われているのを発見した。島民百八十名中七十二名が患者になり、そのうち四名が死亡したのである。「昔は」と人々はいう。「熱が出ると、土間に芭蕉の葉をしき、その上に寝たものです」だが果してそれは昔のことにすぎないであろうか。学校の入口にある島の診療室なる小屋を私はのぞいてみたが、ほとんど医薬品の影も見あたらなかった。臥蛇でも平でも、こと病気の話になると皆恐怖の色をうかべるのだった。その恐怖の報酬が映画の贈物になったのだ。平島からの帰り途、船は映画を上映してくれという交渉を受けた。投票箱を積んでいるから天気の変らぬうちに鹿児島へつきたいというので、中之島の要求はことわったが、口之島では村議をふくむ第三次交渉団の押しに負けて、とうとう上映の運びになった。すると乗船していた中之島の駐在員は怒髪天をついて「船長、船を出せ。汽笛をならせ。口之島でやれるものがどうしておれのところでやれなかった」とわめくのだった。

それは渇くような願いでもあるとみえた。かつて宝島で上映したときも、夕刻から夜明けまで同じ映画を六回たてつづけにくりかえさせられたという。自分の位置を動かさずに別な生活を知覚できるということは、そんなにもすばらしいものなのだ。しかし平島での三日目の上映中だった。突然映画が中断され、いかった技師の声がきこえた。「機械にさわっちゃいかんとあれほどいったでしょう」学校を出たばかりの少年が口をとがらせていった。「機械じゃないよ。おれはここのヒモのところにさわっただけなんです」「それは電気のコードですよ。ごらんなさい、切れてしまったじゃないですか」「それは前から切れかかっていたんです。子供たちがさわっていたんだ」「子供たちがさわったら、あんたが止めなければならないでしょう。皆が迷惑するじゃありませんか」「だって、おれもさわってみたいもの」技師は少年の行動が利己的なことを説得し、大人たちはそれに賛同した。少年はなおも不服そうな顔で「これは私が悪うございました」とそっけなくあやまった。この一幕をみているうちに、私は幼年のころ故郷の町にいて「自動車きちがい」と呼ばれていた若い男のことを思いだした。たぶん彼は白痴で唖だったが、そのころまだいくぶんもの珍しかったフォードやシボレーが町角に駐車したりしていると、彼は「うう」とうなり、薄笑いをうかべ、感にたえたように車体をなでまわすのだった。いまにして考えると、彼がてのひらでなでていたのはまさに新しい文明だったのだ。機械に対する皮膚感覚をぬきにして、機械の所産だけを理解しろというのは要求する方が無理ではないか。私はちょっぴり少年に同情した。

それは労働者的な感覚といわれるものにもかかわることがらであろうし、裏を返せば恩恵の限界に関係するところでもある。東京の離島振興協議会の壁面にはられた地図にすら十島村はのっていないのだが、この放棄された島々は台風の記憶も忘れられた秋のある朝、突然地方新聞の社会面に顔をだす。「飢える十島村」「臥蛇島は餓死寸前」……そして日本でいちばん貧しい村々の婦人会や子供たちが甘藷や、衣料の慰問品を送りだす。それは島人にとって唯一の救いの綱となることがあるために、それだけますます耐えがたい苦痛の種子にもなりうる。彼等にしてみれば、何年に一度の偶然な機会にわずかな碇泊時間を利用して上陸した新聞記者が、いやがる婦人たちを追いまわして写真をとり、彼等のすみかを刑務所か地獄のように書きたて、そのような形で犯された侵害行為、その屈辱の代償として何の表情ももたない物質が届けられることに呆然としてしまうのである。無縁な者を傷つけ、無縁な者へ贈る——それが「内地」の習慣であり、文明というものであろうと彼等は観念する。それが彼等に対する善意と啓蒙の結果にほかならない。

船頭　ともに申し〳〵〳〵
一同　ハイ
船頭　こんにちは日和もよさそうにござる
　　　おもてにはいかい（碇）にむきます
　　　さらばニサンゼ綱によらしゃれ
一同　やんざ〳〵〳〵
船頭　おもかじ　といかじ　よそろかじ
梶取　とってそろ
一同　いいぞう〳〵
　　　ええぞう〳〵
　　　やあぞう〳〵
船頭　やあらめでたの帆をだす
　　　枝も栄える　葉もしんしげる
　　　まいたその帆にそよそよと
　　　なおめでたの帆をだす

吹いたあらしにそよそよと
これも船頭《せど》の知らわせぞ

歌いおわると、「これはよか海上でございました」明治十七年生れの日高栄彦さんは平島の船頭屋敷の主である。正月二日にうたわれる船歌が聞きたいと頼んだら、「それはこんな風でございました」といって坐り直し、ちいさな声でくちずさみはじめた。「あの世へもっていけるものでもございませんから、お伝えしておけば身のほまれになることもありましょう」そういって老人の歌と話はそれからそれへと続いた。彼のおだやかに澄んだ眼には十里の灘を釜の飯が炊けてしまわないうちに走る帆船のまぼろしが映っているみたいであったが、その眼はもうひとつの風景をもとらえていたのである。

戦争の末期、台湾があぶないころになると、南下する輸送船のうちこの附近で坐礁するものがめっきりふえた。特攻を命ぜられた飛行機が不時着することも多かった。戦局に関するニュースは何もなかったが、眼の前で日本の駆逐艦が沈められたりするのとあわせ考えて、この老いた船員には坐礁や不時着の意味がわかりすぎるほどわかっていたのである。「それがいちばんでございましたなあ」こともなげにそういって、彼は三人の海軍下士官を助けた話をした。当時すでに六十歳を越えていた栄彦さんはグラマンの攻撃を避けて、暗夜彼等を諏訪之瀬へ、翌日中之島へ丸木舟で運んだ。波が高く、舟着場の見当もつかなかった。「神様、どうかこの港をあらわしてください」そして真直ぐに舟をやると、二度とも奇蹟のようにうまくいった。「私もあれが最後の命がけでした」戦争がすんでやってきた米軍将校も、こんな島まで空襲されたと知ってあきれたというが、老人はそれを「野蛮な」行為だと断定する。そして「けれども戦争に負けてようございましたなあ。勝ってでもいたらこの島の学校なんかとてもこんなによくなりはしませんのです。軍人がいばるばかりの話で」と結ぶのだった。助けた下士官からは今なお感謝の便りがくるという。

これとだいぶん趣きのちがった話が臥蛇にもある。敗戦の年八月になって、三人の兵士の死体がうちあげられた。島人はそれを自分たちの墓地の一隅に葬った。そのころ食糧はまったく底をつき、人々は危険をおかして漂流物を漁った。ある日のこと、一人が海上でメリケン粉の袋を拾った。それに刺激されて翌日三人の島人が離れた岬のあたりへいくと、岩の間に人のいた形跡があり、その附近で助けを求める声がした。満洲から飛んできたと称する陸軍の下士官で女を連れていた。彼等は学校に住まいをあたえられ、とばしい食糧をさいてもらった。その兵士が日本の敗戦を知らせたのである。そうこうするうちに旧暦八月十五日の夜がきた。恒例の綱引きをやるためにかずらとすすきでなった綱が作られ、始めようとしたとき、飛行士が出てきて皆にいった。「アメリカ軍はどんなことをするかわからない。夜さわいだりすると危険だ。家に引きこもっていた方がいい」それもそうだと思って、人々は家に帰った。だがその翌朝、兵士と女の姿は見えなかった。満月の夜を利して、島で一番よい定市さんの丸木舟に帆をかけ、出奔したのである。その夜明け、口之島にいる定市さんの親類は沖を通る舟をみかけた。それは航路からして臥蛇を出た舟にちがいなかった。やがて舟は口永良部島にのりすててあることがわかった。定市さんはそれを取りにいったが、口之島のすぐ沖で横波にあい、てんぷくして舟は流され、九死に一生を得て身ひとつで帰ったのである。「恩しらずめと思ったでしょうね」「ええ、それはもう見つけたら殺してやりたかったですよ」そういいながらも殺気というにはほど遠い表情である。

臥蛇の若宮神社には自然石の招魂碑がある。だれか戦死した者があるかとたずねたら、太平洋戦争をふくめて一人も死者はいないという返事だった。戦死者のいない島の招魂碑——そこに島人の国家観がにじんでいるようにおもわれる。

「昔は困った人がいても皆島で助けあったものですが、いまでは国が面倒を見てくれるようになりました。有難い世の中ですなあ」そういって彼等は無理をしても生活保護を返上しようとする。彼等にとって国家は無縁なほど遠いところにある権力であり、いつもは島がさしのべる手をじゃけんにふり払い、時になっとくのいかぬ恩恵を気まぐれにそそぎ、その報償として命がけの献身を迫る不在地主のわがまま息子みたいなものである。島人は彼をあやしつづける子守女のように、自分のなかにもうひとつ別な理想像を作りあげざるをえないのだ。それはいわば権力の貪欲さに対するあわれみといたわりの心理を通じて形成されていくものである。招魂碑はまさに彼等を満たしえないがゆえに、彼等の方から満たしてゆこうとする空虚な国家への思慕の象徴なのだ。

凡百の理論はいう。この下男下女めいた姿勢をうち破らないかぎり進歩は望めないと。それはたしかにその通りであろう。だが前にあげた戦争体験にみるように、そこには島津藩に対すると同じく、国家権力へのひそかに力強い優越感が流れているのだ。その優越意識は架空の権威たる平家伝説によって支えられており、さらにその背景には傷つけず、奪わず、独占しない一種の共和体制が存在する。もはやしだいに社会経済的な土台から追い払われながら、いまなお執拗きわまりない力で日本人の意識をとらえている二重構造は大洋のただなかに現実の根拠をもった体系として生きているのである。それは従属の姿をとった抵抗であり、したがってまた抵抗の形をとった従属である。この循環を断ちきるためには臥蛇島をいかにするかという問に対して答えなければならない。矛盾の原点がそこにある以上、そこに鍵をもたらす者がすべてを制するのだ。

いったい何のためにしちめんどうな二重体制などを作りだしたのか。いや、それは過去において意味があったかもしれないが、現在ではもはや無意味ではないかと問われるかもしれない。いうまでもなく二重体制は小社会の自立性をなるべく大きく確保するために、上級の権力にできるかぎり少く所属する方法である。もし小社会が上級権力に向ってなんらかの稀少価値を主張することができるならば、みずから二重体制をかなぐりすて、積極的に全体社会のなかにおける自己の分前を要求するのが当然であろう。では臥蛇島はどこに自分の存在理由をみつけたらよいのか。ある夜、比地岡先生と私は教室を仕切った住宅のむしろの上でこの問題を考えてみたが、結局それは南方への海の国道を指示する道路標識であるということに落ちついた。だが道路標識が要求しうる権利の大きさはどれくらいかという点になると、両人ともはたと当惑するのだった。

つぎに漁場の件がある。十島のかつお漁業を潰滅させたのは「内地」の資本である。そこで漁業権の設定が考えられてよいのだが、水産当局は政治的圧迫を恐れ、容易にこれを承認しまいとしている。それを突破するためには国家による漁業資本の育成なくしては不可能であり、敵に塩をもらおうとするにひとしい。私はたわむれに「十島共和国」の独立を宣言しても「十島ライン」を引くべきだと説いてみたが、大方の賛同を得られそうにもなかった。憎悪の哲学をもたない島人にはいささか無理な計画である。最後に私は無形文化財説をもちだした。しかし少数民族の保護地域にひとしい待遇がいかに手厚かろうとも、誇り高いトカラの民を満足させることはできるはずもない。

私たちはどこに所属すればいいのか。いかなる役割を果せというのか。この声は意識しない疑問として島の生活に奥深く流れている。これこそすべての僻地とその住民のながに苦しげに湛えられている謎である。だれがそれに答えようとしているのか。「沖縄を返せ」「小笠原を返せ」と叫ぶ。それは血の呼び声であるという。しかし復帰したあかつきの沖縄・小笠原が全民族社会に対して他の地域がとってかわることのできない、どのような役割を果すことを求めているのか。そのことはまだ必要でないというのか。ではすでに復帰した十島村についてはどうであるか。

二重体制は棄ててもよい。だが国家と独占資本はあえてみずからそれを破ろうとはしない。平家伝説は壊してもよい。だがそれにかわる小社会統一のシンボルはまだ生まれでていない。私がおとずれた島々の悩みは最終的にそこにあった。

私たちの文明はいったい前進しつつあるのか、停滞状態にあるのか、それとも空洞化して後退しつつあるのか。きりんの首みたいに突きだしているびろう樹の葉を鳴らして、この疑念がいくどもいくども私のほほを熱い風のようになでた。そして最後にはきまって、この壊死してゆく皮膚のごとき風景が日本文明の船首であるにちがいないと思いつくのだった。多くの人は私の言葉を逆説としか受けとらないであろう。この島をただ私たちの社会の祖型として考えることにのみ同意するであろう。だが過去に対して祖型であるものは、未来に向ってもやはり規範となりうる。絶対的貧困化のなかで守りつづけられた非所有の感覚は近代をつらぬいて、さらに前方へ穿岩する硬度をもちうるのではないか。

臥蛇島の「前衛」は青年団である。その共同作業の報酬は日役に出ない家庭にも配分される。老人たちもそれなりの仕事を分担する。七名しかいない青年ではあるが、団長と駐在員と神役をそれぞれ別の人間にふりあて、権力を集中することがない。年配者のばあいも長老と民生委員と月収六千円の破格の収入をもたらす燈台雑役夫を条件に応じて分けあっている。共有・私有の区分は実利に反しないかぎり共有への方向をもちながらも不自然さに陥ることなく、牧畜を中心にする一種の長期計画はあどけない少年にきいてもその順序がなっとくされている。そして島外出稼者からの影響を考慮しても島内の階層分化が起る可能性はまずない。おそらくこの島が完全な姿での流通経済と私有制度を経由せずに未来社会へ接続するのは、特別の変化がないかぎり確実であろう。

国家支配の表皮をはぎとって考えるならば、今日どのような意味でもこの島に内部的な階級制は存在しない。このような事例はこれまで原始共同体の方へ近づけて理解しようとするのが常識であったが、私はむしろこれをきわめて生産力の低い初期社会主義への自然発生的な実験として今日的意義をあたえる必要があろうと思う。定義の厳密さを要求するあまりに、いかなる条件の下でも「資本主義社会のなかの社会主義的状況」が達成できるはずもないと即断するのは、かえって生産的ではない。いわばこのような疑似社会主義の実験を「日本にもある人民公社」という形で大衆が盲目的かつ散発的にふみきりはじめた事実、この事実のなかに一九五八、九年の日本を象徴する時点があるのではないか。だとすればこのさびしい魔物のような島こそ大衆の欲求を支える歴史の深さと状況の必然においてひとつの典型たる資格を失わないのである。

（一九五九年八、九月「中央公論」）

あとがき

三十五歳、うろこはようやく固まり、剝げ落ちるほど弱くもなく、意識した嘘をつく楽しさをおぼえた勢いで、五九年の冬から夏にかけてこの一束の雑文を書いた。稿料で露命をつなぐ方法もどうにか分りかけるとともに、山積する借金を減らすあてもない歎きが、孤軍、運動をでっちあげようとする勇み足をけしかけていた。結局、借金の解決は貸主を絶望させるに限るという平凡な認識に達するまで、けっこう私はそれを自分への言いわけに使った。おそらくこの期間ほど私が生活派であったときはないのだ。

したがって私は「金と女」を組織論の舞台へのぼせようと熱中していた。いまにしておもえば純情可憐というべきであるが、当時はそれなりに悪を気どっていたのである。いや、いつの日か私は再び単純素朴に「金と女」へ回帰するかもしれない。そのときの単純さがどれくらい見事であるかを測るために、この本を保存しておくことにしよう。

とくに現在の私が自己批判しているのは、もっと組織化のための金にむかって悪戦苦闘すべきであったということである。この二三年前から提唱していたサークルを母胎とする全国交流誌を実現していたら、翌年にやってきた安保・三池の強風のなかで、もうすこし「普遍的」な後退戦を闘いえたとおもっている。三百万ぐらいの金があれば、自信はあった。必要な金を作れない工作者などとは、およそ弾丸の出ないピストルにひとしい笑い草ではあるが。

だがその可能性については、共産党の低劣な妨害に反撃する契機を見いださないまま、徒過しすぎた時間を回復するすべがなくなり、当時ほとんど望みを断たざるをえなくなっていた。にもかかわらずここには、いわゆる反体制側の「体質改善」というよりは染色体の置換にちかい「突然変異」への願望の一滴が拡散している。いまでも私は、その計画が戦後の運動にたいしてなしうる最後の有効な作為であったろうことを疑わないのであるが、この一筋の糸が切れようとするにあたって、いささかの悲しみをかくすための私の作り笑いが、たまたま驢馬のお色気に見えようとも、それを優しい鞭に読みかえてくれる者もあろうというものだ。

著　者

六三年八月

解題

坂口博

谷川雁の第二評論集にあたる本書は、アンドレ・ブルトンの『シュルレアリスム宣言集』に倣うならば、『工作者宣言集』と名付けた方がふさわしい。

ただし、標題そのものの文章はないし、実質的な「工作者宣言」といえるのは第一評論集『原点が存在する』に収められた「原点が存在する」「工作者の死体に萌えるもの」「さらに深く集団の意味を」といった作品である。それらに対する様々な反響・疑問に対する応答を中心にまとめたのが本書である。いわば『工作者宣言第二集』が、最も内容に適してはいる。また、巻末の著作リスト②でわかるように、「女たちの新しい夜」一篇をのぞいて、すべて一九五九年に発表されたものである。なお、初版に「あとがき」はなく、現代思潮社版で「あとがき」が加えられた。

そのことをふまえて、以下の解題を進めよう。

「工作者」とは何か？

九州サークル研究会の文化交流誌「サークル村」の創刊は、創刊宣言「さらに深く集団の意味を」の斬新さから、各方面で話題となった。

そのなかでは、思想の科学研究会と国民文化会議が、積極的な評価を見せた双璧であろう。「サークル村」は当初、日本共産党の支援のもとに出発しているのだが、のちに「谷川理論」を「反党」的と否定していく。

最初期の反響は、「中央公論」(一九五八年一一月)の久野収・鶴見俊輔・藤田省三の座談会「戦後日本の思想の再検討」第五回「社会科学者の思想——大塚久雄・清水幾太郎・丸山真男」(『戦後日本の思想』中央公論社、一九五九年五月。勁草書房=一九六六年、講談社文庫=一九七六年など。最新版は岩波現代文庫、二〇一〇年一月)のなかの、鶴見の発言に見ることができる。「工作人の必要」として、以下のように語る(「工作者の論理」にも引用される)。

それは谷川雁が近ごろいっている工作者の必要ということなんです。工作者という新しい人間類型が出て来なければいけない。大衆に向っては知識人の言語と思想をもって妥協せずに語る。知識人に向っては、大衆の言語と思想で語る、という双頭の怪物となった工作者の群像が出て来なければ、これからはだめだというわけです。(中略)工作者は片道の交通を担当するのじゃない。逆に大塚、丸山自身の思考を変えて行くようなエネルギーを持った人を工作者として考えるわけです。

同時に「サークル村」一九五八年一一月号「消息」欄にも見る。鶴見俊輔は、「「サークル村」よみました。いま、批評を書いています。中央公論、地下水のランにだすつもり。一つ、ここで書かれていないで不満におもったことは、サークル内での密着した人間関係が、こわされ、もっと、人と人とのあいだにすきまができないと、ぶつかりあうこともできず、創造的人間関係とはなり得ないということです。古い型の村落が、そのまま、サークルにもちこまれるとかえって、サークル的全人の回復をねらいながら、画一的全人をマス・プロすることになる。そこで、サークルそのものの人間関係のひっくりかえしが必要だと思います」と語る。さらに日高六郎は、「創刊宣言は、大分評判らしい。沢井氏のほうのサークルでも、ガリ版にすって読みあうとかいう話を聞いた。全体として、谷川理論の影響力が強い。強すぎるという感じもある。解放し開放ししていく必要もあるのではないか。感覚的にわかってうっとりしてしまうが、じつはよくわかってはいなかったというようなくだりにしばしばぶっつかる。むつかしさということを徹底的に討論しあう必要があるのではないか」と指摘する。

鶴見が予告した「中央公論」誌の「サークル雑誌評 日本の地下水」は、思想の科学研究会（関根弘・武田清子・鶴見俊輔）が、一九五六年四月号から担当していた。論壇・文壇と呼ばれるマスメディアが地上の河川とすれば、その伏流水のように流れる圧倒的に無名な書き手の言説を、「地下水」と位置づけたのだった。「中央公論」での連載は五九年一〇月までで、六〇年一月からは「思想の科学」へ移った（参照：坂口博「鶴見俊輔の「サークル雑誌評」」「脈」93号、二〇一七年五月）。

一九五九年一月号では「サークルの理論―『サークル村』」として取り上げる。「サークルという形をとった文化運動が、これからかなりながい停滞の時期に入ろうとしているのか、衰亡の時期に入ろうとしているのか、新しい発展の時期に入ろうとしているのか、予言しにくいのが現状である。このはっきりしない状態を、評価し、整理しなおし、新しい方向にむかって動かそうとする努力が、九州からはじまった」と評価した。

さらに鶴見俊輔は、「思想の科学」一九五九年七月号の「思想の発酵母胎」（『鶴見俊輔著作集第三巻』筑摩書房、一九七五年七月）でも、サークルの問題を取り上げる。本書初版カバーにも推薦文を寄せていた。

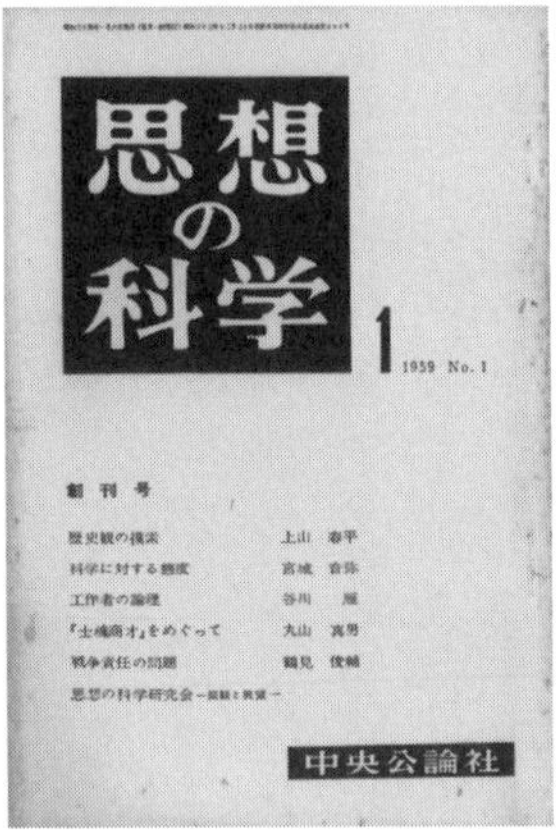

谷川雁は、いまいきている日本人の感情や意見を、谷川独自の方法でひきさき、ぶっつけ、これねあわせて、明日の日本の像をつくる。彼のペンにそうて、われわれの毎日していることのすぐ下のところから原始共産主義的な未来社会がほりおこされてでてくる。学者・評論家の多くが未来の像をつくりかねている現在、彼がほりおこした古代都市の一角がはたして彼の言う

とおりに未来都市の一角でもあるのかどうか、見て考えることが必要である。『原点が存在する』から『工作者宣言』にいたるひどくふうがわりな谷川雁のエッセイは、個性的というだけでなく、古事記以来マルクス主義にいたるまでの日本の伝統の全体を独自の仕方で集約しているという意味で、日本の戦争時代、戦後を通じてのもっとも重要な仕事の一つだ。

ほかには、一九五九年の「民話」(民話の会・未来社)誌上で、藤田省三・日高六郎が取り上げている。その延長に谷川自身の寄稿「観測者と工作者」(六月号)もある。

藤田省三「大衆崇拝主義批判の批判」(二月号)では、「場の習慣に同化しない本式の「本音」っていうのはどこにもないんだ。つまり「本音の不在」が日本的精神の伝統的な特長だといえるわけです。(中略)文化構造全体についていえば、谷川雁の本の題と反対に、「原点は存在しない」ということと見合っている」などと批判していた。一方、日高六郎の「大衆論の周辺――知識人と大衆の対立について(三~四月。『現代イデオロギー』勁草書房、一九六〇年一一月)では、藤田の批判を踏まえて論議を深めていく。

谷川雁的な(中略)工作者の立場からの大衆崇拝批判主義についても、なおベッタリ密着主義の残りかすを感じとり、工作者的立場からの大衆崇拝主義批判を批判する。とくに谷川雁の亜流が工作者追随主義におちいる危険を手きびしく指摘しています。彼〔藤田〕の立場からみると、サークル運動にあらわれた大衆路線方式が、現在のような停滞あるいは失敗の危険に瀕していることは、まさに彼の論理を実証するものと映るでしょう。（中略）

しかし彼の判断は正しいだろうか。また彼の論理は、失敗の経験を分析するのにいくらか役立つとしても、成功のメドをたてるためにどのくらい有効だろうか。

日高六郎は、「区分の論理主義者からは日高六郎が谷川雁にイカれているのはおかしいという批判を浴び、逆にアンチ近代主義者からは、日高六郎はスマートな近代主義者でしかあるまいとうたぐられる始末で、まさに谷川雁とは逆に、自分の弱味のために「はさまれて」しまうのだ」と、自らを位置づける。その後、国民文化会議のなかで、積極的に谷川雁を支援していくこととなる。

なお、この時期の「民話」には、宮本常一が「年よりたち」（「対馬にて」「土佐源氏」など）を連載していた。名著として周知の『忘れられた日本人』（未来社、一九六〇年二月。岩波文庫、一九八四年五月）にまとめられる論考である。谷川雁は、「伝達の可能性と統一戦線」で「対馬にて」に言及している。村落共同体への着目が一貫していることは、ほとんど農村の存在意義が薄れたように見える今日でも、示唆を与える。農村と無縁な都会生活の民衆も、数世代さかのぼれば、圧倒的多数は「農民」である。たかが百年ぐらいで、その階級意識が変わるものではない。初日の出参拝に見られる太陽信仰や、農業や農村生活に抱く憧憬や郷愁は連綿として受け継がれている。
一方で、当時は日本共産党員として日本炭鉱労働組合（炭労）のサークル運動に関わり、「新日本文学」誌では時評「サークルの鉱脈」を担当していた中野秀人は、「月刊炭労」一九五八年一二月号に、「『サークル村』創刊宣言について」を発表する。共産党の立場からの批判と受容しても差し支えはない。これは、同じ月の「サークル村」に「創刊宣言」とともに再録される。
これは、前出のような「創刊宣言」をガリ版で刷って読もうという需要にも応じたものだ。転載にあたって「編集部」の付記がある。

左にかかげる中野氏の論文は「月刊炭労」編集部の好意によって転載を許されたものである。なお各地から創刊宣言を読みたいという声が相ついでいるが、創刊号の余部がすでに全くないので、ここに重ねて掲載し、討論の資料にしたい。いうまでもなく私たちはすべての反響を尊重し、省察し、会の内外を問わない沸騰をのぞんでいる。その意味で宣言をめぐるさまざまの批判はできるだけ詳細に記録し、宣言そのものを発展させ、変化させていきたいと考える。大胆な問題提起を心から希望する。

中野秀人は、「第一印象としていえることは、この全文が谷川理論の展開であるということである。勿論それはここに集っている集団の総意を反映しているものとして受け取るべきであるが、

「村」という構想やサークルと共同体とを結びつけるあたりに谷川調の色濃いものがある」とする。

工作者について、この宣言は次のように発言する。

「彼は理論を実感化し、実感を理論化しなければならない。知識人に対しては大衆であり、大衆に対しては知識人であるという『偽善』を強いられる。いずれにしても彼はさけがたく『はさまれる』。この危機感、欠如感を土台にした活動家自身の交流が現在の急務である。」これを最後の結びとして「私たちの運動」ははじまるのである。まだ近代については一行しか書かれていず、封建性についてはまだ姿を見せていないという状態から、いたるところにある固定概念を検討するわけにはいかないが、いきおいそういうところに火の手があがってくると思う。そのとき保守性のなかにある革新、革新のなかにある保守、転形、革命、それぞれの段階が照らし出されてくると思う。したがってまた「偽善」というような巧妙な機智では支えきれないことになる。充分に仕込まれた発火点が、不発に終るようなことはないはずであるから、この運動はあらゆる文化運動の刺戟となること必須である。その反響を糧として、大きく拡がらなければならない。不明確な点を明確にしなければならない。

この時点で、中野秀人がまだしも好意的なのは、共産党と「サークル村」との関係が絶縁していなかったからだろう。ちなみに、創刊時の編集委員九名のうち、森崎和江のほかは全員が党員で、必ずしも、その後の行動は、谷川とともにしたわけではない。ただし、中野は「この宣言の強味は、宣言そのものにあるのではなく、その背後にある決定的な事実に負うものである。その事実を整理することによって決河の勢いにまで盛り上げることが出来るなら、当面する停滞を一掃することになる」と、「事実」に重きを置くことを忘れていない。事実よりも、言葉・イメージの変革を優先した谷川と、決定的な違いをもたらすこととなる。

国民文化会議と全国交流誌

谷川雁は、雑誌「思想の科学」への寄稿は重ねるが、思想の科学研究会には入会していない。それに反して、国民文化会議（一九五五年創立、二〇〇一年解散）には、短期間、積極的に関わっていくことになる。

国民文化会議は、年一回の「全国集会」を開催していたが、谷川雁と「サークル村」会員が、深くかかわったのは第三回から五回にかけてである。

第三回　一九五八年九月二一～二三日（東京）「サークル村」一〇月号に、外園真一と沖田活美の参加記が掲載されている。

第四回　一九五九年一〇月二三～二五日（大阪）「集会資料」には「サークル村」創刊宣言が抄録され、日高六郎によって「全国交流誌」案が再提起されている。「サークル村」一一月号は、全国集会アピールを抄録し、田中巌・花田克己・小日向哲也・村田久の参加記も掲載した。第五回　一九六一年一月二一〜二三日（東京）「記録」によれば、九つの問題別分科会の第二が「サークル」を扱った。全体会議は、冒頭から谷川雁の長い「発言」で始まっている。

この時期、谷川雁は国民文化会議へ、「全国交流誌」の発刊を働きかけている。「サークル村」創刊のよびかけ文で、「すでに中央では全国のサークルを幹線とする綜合雑誌の計画が進められている」と既成事実化し、九州・山口の「サークル交流のための新雑誌」として位置づけたのだった。一方、隔月刊の機関誌「国民文化」には、「サークル村」をふまえた新雑誌の「よびかけ」を書く。お互いを前提とした構造なのだった。ここは工作者の面目躍如たる箇所である（参照：水溜真由美『『サークル村』と森崎和江』ナカニシヤ出版、二〇一三年四月。第Ⅱ部第三章「全国交流誌と『サークル村』」）。

もっとも、この「全国交流誌」は実現せず、数年後には「サークルを母胎とする全国交流誌を実現していたら、翌年にやってきた安保・三池の強風のなかで、もうすこし「普遍的」な後退戦を闘いえたとおもっている」（現代思潮社版「あとがき」）という、いささか谷川雁らしからぬ弱気の発言も残してはいる。いずれにせよ、この成り行きは、死児の齢を数えるような事柄ではなく、工作者の有り様を示したものとして記憶したい。言葉によって、事実を創造しようとしたので、その半面は実現したといえよう。

『城下の人』と『芸術的抵抗と挫折』

本書には長文の書評二本も収録されている。ただ、一般的な書評文とはかなり違っている。『『城下の人』覚え書』は、熊本時代の母方の祖父との血縁的なつながり、「庶民・吉本隆明」は、のちに同人誌「試行」を、谷川雁・村上一郎と三名で創刊することになる吉本との思想的なつながりを語っている。

石光真清『城下の人――石光真清の手記』（龍星閣、一九五八年六月）は、『曠野の花』（同、五八年七月）『望郷の歌』（同、五八年一〇月）『誰のために』（同、五九年一一月）と四部作をなす、その一番目である。龍星閣版『城下の人』『曠野の花』は一九五八年度第十二回毎日出版文化賞を受賞した。

熊本生まれの石光真清（一八六八～一九四二）は陸軍軍人で、日清・日露戦争に従軍、一九一七年のロシア革命後はシベリアに渡り、諜報活動に従事した。自伝的手記四部作は、長男・石光真人（一九〇四～七五）の手によって編集され、没前後に『諜報記』などの題名で刊行されてきた。その後も中央公論社版や中公文庫版と版を重ねていて、一九九八年にはＮＨＫが、四部作を原作としてテレビドラマ「石光真清の生涯」にもしている。

谷川雁は、シベリアでの諜報活動にはほとんど関心を持たず、熊本時代、明治九年の「神風連」から翌年の「西南戦争」に限って着眼する。石光にとっては、幼少期の出来事であるが、「西南戦役に十九歳で熊本隊の一員として参加」した雁の祖父の思い出へ直結するのだった。「西南戦争がふくむ状況には三つの軸がある。権力対反権力、進歩対保守、士族対農民の三種の対立である。この複雑にもつれあった矛盾を解くことは当時のイデオローグにとって至難なわざであったろう」し、今日も同じである。「西南戦争は決して簡単に権力＝進歩対反権力＝保守の闘争ではない。その渦のなかになお文明の進歩に関する根本的な課題を埋蔵している」と、雁は結論づけた。また、祖父へは「ひとたび歴史の激流と自己の青春の嚙みあわせに失敗した者を待っているのは、ゆっくりと情熱を冷却させてゆく困難な調節作業である」という、情愛のこもった感想を漏らしている。

一方、吉本隆明の評論集『芸術的抵抗と挫折』（未来社、一九五九年二月）には、標題作をふくめ「マチウ書試論」「芥川竜之介の死」「転向論」など、書評を除けば九篇が収録された。谷川雁が「十篇あまりの評論」という所以である。そのなかで、巻頭の「マチウ書試論」を主に取り上げる。かつて「ゲッセマネの夜」（詩集『天山』所収）で、次のようにイエスを描いたこともあって、谷川雁もマタイ（フランス語ではマチウ）福音書（新約聖書）への関心は強い。

膝まずいて彼は祈っていた
断崖のまえで人が自己を売渡す
あの絶対の暗黒はいま
彼の肉から脱けだし

かなたにいる弟子達のうえにたなびいた
彼等は犬のように眠っていた
イエスの周りをはう
茨のわかい棘だけが爪のように
ほのあかい夜明けの光を刺した

中ほどで「芸術的抵抗と挫折」、終わりの方で芥川論に少し触れるだけで、ほとんどを「関係の絶対性」への言及に費やす。その上で、「自分のなかの庶民的な形をとった所有意識へ否定的回帰をくりかえし、そのなかにもぐりこんで柵の外へぬける」脱出路の探求を提起する。谷川雁らしい挑発方法である。これに吉本隆明は乗ったからこそ、その後しばらく、「試行」創刊や自立学校などの言動をともにすることとなったのだ。

なお、冒頭の一節は「現代詩の歴史的自覚」(『原点が存在する』所収)にも出てくるものだ。引用が二重化しているので、わかりにくくなっている。「かつて」から「書いた」までが重複しているのだが、「鮎川信夫への手紙」自体は公開されていない私信である。重複を無視して読解した方がいいかも知れない。

「びろう樹の下の死時計」

谷川雁の紀行文である。長篇紀行としては唯一といってもいい。初出誌にあった副題「トカラ列島臥蛇島《がじゃじま》のまわりから」は、初刊から省かれた。

鹿児島県大島郡（現・鹿児島郡）十島村《としまむら》（旧名は「じっとうそん」）を、一九五九年五月に「中央公論」誌の依頼で訪ねた記録だが、当時「十四戸六十人」の臥蛇島は、一九七〇年から無人島となった。住民の全戸移住によるもので、「離島が百戸以上の場合にはかろうじて発展する。しかし五十戸以下ではどうにもならない」という民俗学者の説が、図らずもあたったことになる。臥蛇島の住民「最期」の姿を描いた記録ともなっている。

現在の十島村は、七つの有人島（口之島、中之島、平島、悪石島、諏訪之瀬島、小宝島、宝島）と、五つの無人島（臥蛇島、小臥蛇島、小島、上之根島、横当島）からなっている。一九五九年当時の村人口の二千五百六十人は、約七百人まで減っている。

掲載誌の編集長・竹森清（一九六〇年一二月、深沢七郎「風流夢譚」が問題となって編集長を辞任）は、「中央公論」八月号「編集後記」で、次のように書いている。
★旧制高校生だった頃の夏休、北海道を三週間歩き廻ったことがある。ずいぶん奥地へも行った。そんなところに住んでいる人々に接して、文明の一片にも浴さないこの人たちに、国家というものが、なんの役目を果しているのか、といぶかったものだった。★西欧を見て来て日本の文明を批判することはやさしい、しかし孤島という極限の僻地にひと月暮してみて、そこから日本の文明を批判してみたいという谷川雁氏の計画を聴いたとき、私はかつての北の旅のことを思い出した。資本と国家の黙殺、そこに生きようとする孤独な営みは、なにも南の涯ての孤島に限ったことではないであろう。

また「サークル村」の「編集後記」等にも同様の消息は見える。

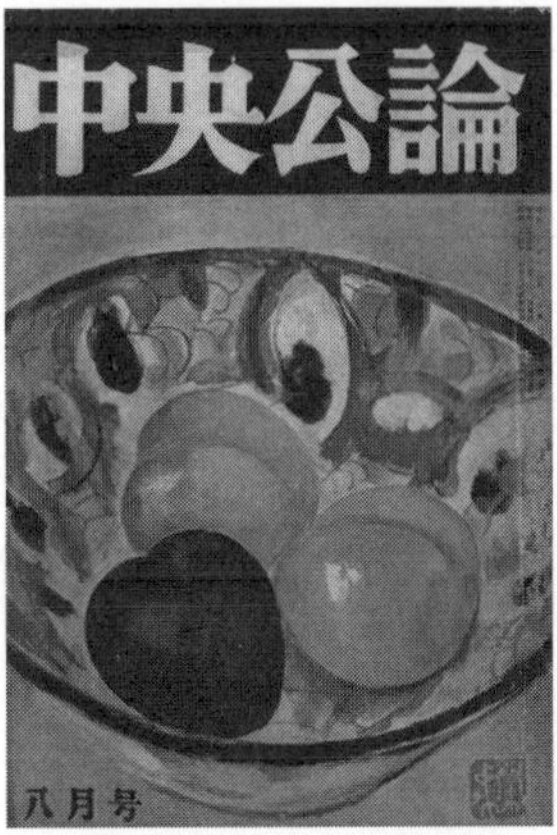

谷川雁本人は、「来月はひとっ走り孤島の汐風を吸ってくる。トカラ列島中の臥蛇島。こうなると全く存在様式の問題。留守中みなさんせいぜいおしめやかに」（四月号）、「先月予告した臥蛇島ゆきを目前にこの後記を書く。どうもちかごろは旅行ばかりしていて編集は上野に任せっきり、当方は後記専用員と化したきらいがある」（五月号）。

鹿児島市の会員・飯島弘（中村きい子・郷田良らとサークル誌「原点」を発行）は、六月号「消息」欄で、かなり詳しく当時の状況を伝える。

お手紙頂き早速〔鹿児島市の〕灯台事務所を通じて谷川さんの方へ電話（無線）依頼しました。谷川さんの行動予定は〔五月〕二十五日にもうひとつ南の平島に渡ることになりました。

今日その旨伝えてきました。私は明二十二日灯台事務所にいって朝九時か、昼三時の連絡時間に便乗して谷川さんと話をします。五色のテープで送られて出航する船上の雁さんの顔は、サークル村の人達に電送してやりたかったです。

一日おくれて、二十三日雁さんと話をしました。雑音多く、要点のみしか聞きとれませんでしたが、到着以来天気もよく昨二十二日少し雨が降っただけで仕事はうまくいっているようでした。私への依頼は、ウイスキー二本送るようにと、それだけです。幸い選挙で船が二十五日にまた出るので、それで送ります。声はなかなか元気でしたし、雁さん自身ノンビリできているる、サークルの皆さんによろしく、と話されました。多くのことをお伝えする事はできませんが安心ください。通常の電話と勝手が違うので短い時間がよけい短くなって困りました。二十五日朝、また交信を約束してさようならです。

また森崎和江も、「月はじめに出したいというねがいがどうやら実現してきた。谷川が臥蛇島から『ガジャジマノムギノマツリノムギザケヲフクメバキミトホホエムゴトシ〔臥蛇島の麦の祭りの麦酒をふくめば君と微笑むごとし〕』と無電を打って、さらに条件の悪い平島へ移っていっていた時だ。「雁さんがいないと仕事がはかどる。あと半月もいなければ商業雑誌なみに前月発行となれるのだがなあ」と上野がなげいた。まったく同感です」（六月号「編集後記」）と記している。

六月一四日の編集委員会会議には、「臥蛇島ボケとの噂」（七月号「事務局だより」）の谷川雁も参加しているので、臥蛇島旅行は、一九五九年五月上旬から六月上旬の約一か月間だった。なお、文中にも見られる第五回参議院選挙の投票日は六月二日だ。

ところで、本書には「分らないという非難の渦に」も収録されている。近年も谷川雁は「分からない」と繰り返す「評論」が再生産されているが、自嘲気味に「難解王」と自称した谷川雁の「いったい「分らない」とはどういうことか。相手の思想に触ることができないということではないか。それなら黙っておればよいのだ」の反批判は、いまだに有効である。「なおも分らないと発言する者は彼の小さな所有地が無事に保たれるのを確認したがっている」からだ。自己の思想的基盤を頑なに保守したいだけだ。

谷川雁の小説・戯曲

この時期、谷川雁はいくつかの小説・戯曲を書いている。「蛮人」（「サークル村」一九五八年九月）、「籠のなかの鼠たち」（同一九五九年一月）、「無重力」（同一九五九年一〇月）、「無重力地帯」（「現代詩」一九六〇年九月）、「色の算術」（「サークル村」一九六一年四月）、「袋は袋を破れるか」（「試行」一九六二年一月）などである。このうち「蛮人」「無重力」「袋は袋を破れるか」の三篇は、『無《プラズマ》の造型―60年代論草補遺』（潮出版社、一九八四年一〇月）に収録された。「無重力地帯」は、「無重力」を短縮した改作である。

明らかな戯曲といえるのは、「籠のなかの鼠たち」「無重力」「無重力地帯」で、「袋は袋を破れるか」は、映像的な作品のシナリオとも受け取れる。「蛮人」は詩作品と同じように、かなり高度な比喩や抽象的表現が多く、短篇小説として成功したとは言い難い。「無重力」と「色の算術」は、筑豊の炭鉱地帯を舞台とする。

戯曲のうち、「籠のなかの鼠たち」は、何度か上演された。西南九州の農村の「青年小屋」(かつての若衆宿・娘宿の戦後版)を舞台に、七名の男女の掛け合いである。出口なしの「籠のなかの鼠」のように走り回る「山窩」の末裔の新吉と、祖父が「癩病」で母が「淫売」という桂子の対話が軸となる。

長崎県佐世保市の上原《うわばる》青年団(田代久米夫。「サークル村」一九五九年四月号の「九州・山口サークル地図」では、田代久米夫は佐世保市早岐青年団の文学サークル「ともしび」の責任者となっている)による上演報告が、「サークル村」一九五九年一〇月号に掲載されている。

私たちの村は、部落戸数八十戸の小さな農村です。とりたてて特産物もない旧態依然の米麦を中心とした農業経営と月給取たちとで村の生活が支えられています。

私たち、村の若者は月二回、村の公会堂で集会をもっております。私たちの生きる条件の中での色々の諸問題を学習したり、討論したり、相談したりします。私たちの青年活動の目標は「新しい人間を創り、住みよい社会を創る」ということです。こうした活動の中に演劇コンクール大会が開かれます。

私たち上原青年団は、「サークル村」に掲載された山田健二作「籠の中のねずみたち」ととり組みました。〔中略〕

しかも、私たちの意欲的に、新しさを求めたものへの抵抗が来ました。村のものから、青年団員から、最後には演劇コンクールの審査員からも起ったとき、私たちは率直に驚きました。その結果は、優秀であるけれども、キャスト個人個人の演技が揃わなかったとの理由のもとに二位に落されました。しかし、演劇とは個人プレーではないと思います。善かけ悪は善になると解答を舞台で出すものだけでないと思います。スタッフもキャストも力を合せて人間愛と平和な気持を暗示するものでありたいと思っていたのです。

私たちは、私たちの演劇方法を信じて、県大会に佐世保代表として、一位の作品と一緒に参加しました。県大会は、「籠の中…」を優秀賞に選んでくれました。そして長崎県代表として、東京大会に出場する栄光を得たのです。本当に嬉しく、みんなが泣きました。それまでのたたかいが本当に苦しさの連続だったからです。その時私は「平和と人間愛をつくる作業」が出発したのだと思うと、素晴らしくなってきました。きっと生涯の中で、この感激は生きることへの確認に役立ってくれるものと確信します。山田健二さん、九州サークル研究会の皆さん、本当に有難うございました。

また、「サークル村」会員らの劇団サークル座も、取り組んでいる。「サークル村」一九六〇年九月号の「すいしゃ・かじや」欄では、「サークル座の猛練習」として「香月寿演出の「籠のなかの鼠たち」は立稽古に入っている。一晩に脚本の三行ぐらいしか進まないという念入りな練習ぶりで、早くも今秋の北九州劇壇に波紋を投じようとする構え、充分である」と伝える。北九州演劇祭にて、一九六〇年一一月三〇日に、八幡市民会館で上演したようだ（「サークル村」一九六〇年一一月号「サークル座いよいよ公演」）。

ところで、谷川雁と同時期に、上野英信も森崎和江も「サークル村」誌上をはじめとして、小説に取り組んでいる。上野英信は「黒い朝」（一九五八年九月号）、「ぼた山と陥落と雷魚と」（五九年三月号）、「伝八がバケモノを見た話」（五九年四月）、「大回転」（五九年七月）と、主に炭鉱を舞台とした作品を書く。

森崎和江は、「サークル村」には「鉄を燃やしていた西陽」（一九五九年五月号）だけだが、「渦巻く」（「白夜評論」六二年六月）、「とびおくれた虫」（同六二年一〇月）、「俘囚の陸」（「試行」六三年一〇月）、「無名称的アルファベット」（同六四年二月）と続く。

上野英信は、『「サークル村」のアナ埋め用として書きなぐったもの」で、「これを最後として、私はたえて虚構の世界に心の憂いを託すことはなくなった」（『上野英信集1　話の坑口』径書房、一九八五年二月「あとがき」）と記す。確かに、谷川雁の小説・戯曲といった創作（虚構の世界）にも、不足する「サークル村」の誌面を埋めるためという、同じ側面はあったにせよ、それだけで済ますには惜しい。もちろん、上野英信・森崎和江も同様である。

上野英信との確執

石牟礼道子への手紙形式をとった「〈非水銀性〉水俣病・一号患者の死」（『極楽ですか』）で、谷川雁は、上野英信をめぐって、以下のような辛辣な言葉を残している。

大正行動隊が四面楚歌の孤立陣地をあえて選んだとき、彼は「あれはルンペン・プロレタリアを集めた雁さんの遊びだ」といってまわった。それをいうなら、退職坑夫の尻を追いかけ、方方から餞別を集めてブラジルへいった彼のほうがぴったりだとおもうが、私にはルンペンを糾弾する気持はない。自分も一ルンペンとして葬式を無視しただけの話です。

谷川雁と上野英信との出会いは、一九五八年のはじめ。同じく日本共産党に属していたとはいえ、ふたりの接点はなかった。敗戦直後、谷川雁が福岡市内に住んでいた一九五〇年までも、新聞社に勤めたあと共産党の専従として働く谷川雁と、筑豊の炭鉱でサークル文化運動に取り組む上野英信に、出会う機会はない。共産党分裂時代は、谷川は国際派に属したが、上野は主流派で「人民文学」系に関わっている。

ふたりの出会いと別れは、谷川雁と森崎和江の出会いと別れに、勝らぬとも劣らぬ出来事だった。

おそらく、この「一瞬」を逃したら、永遠にまじわることはなかっただろう。文化交流誌「サークル村」創刊は、こうした出会いを抜きにしてはありえない。もちろん、中軸となった編集委員や、参加した数多くの会員も不可欠ではあるにしても、谷川雁・森崎和江、上野英信・晴子という二組の共同生活を欠いては、今日に至るまで影響を与える存在にはならなかった。

森崎が『闘いとエロス』のなかで、「つわぶきの煮しめといった山菜を好む上野」と「便所の裏に生えるようなもんは食いもんとは思わん」と放言する谷川を描いたように、谷川雁と上野英信の性格・生活習慣の相違点は大きい。共通するのは長身痩軀で病弱ということだろうか。

谷川雁も、早くに次のように指摘していた。

上野はみずから坑内夫として得た経験を軸に、筑豊炭田の内外で彼らしい地味な影響力を持っていたわけだが、博多の古ぼけた晩春の下宿でこのプランの下絵をこしらえたとき、「まるで薩長連合ですなあ」と笑った。ふらふらとやせこけている原爆症の彼と肺病の私はどちらも西郷隆盛の方は遠慮したかったしだいで、「高杉隆盛と西郷晋作とでもしときましょう」ということに落ちついた。

（「報告風の不満」一九五九年二月）

サークル村の一年、すなわちわれわれの十二ヶ月はごく平凡にいって、やはりすさまじいものでした。ぼくは言葉、言葉、言葉。そしてあなたは沈黙、沈黙、沈黙。それは賭けであり、戦いであり、はっきりしていることはただひとつ――そこから勝負の決着は起りえないこと、二人とも敗れるよりほかはないということでした。われわれの最初の関係はある種の決裂と対峙からはじまり、それは今日いささかも変化していないとぼくは考えています。

（「荒野に言葉あり」一九五九年九月）

それでも、ふたりの関係は「サークル村」が続くあいだは維持されている。上野英信と千田梅二の版画物語集『親と子の夜』（未来社、一九五九年一一月）に付した帯には、谷川雁が推薦文を寄せている。

坑夫であることの純粋さとその重み……それだけを上野と千田は古代の壁画のように血と石炭の色で描いた。ここに戦後の炭鉱の英雄時代、その夜明けの一瞬がある。筑豊炭田のそこかしこ、人々はこの本の原形であるプリントと手摺りの版画物語をほこらしげに愛蔵している。彼らはこの物語の真の作者が、名もない自分たちの歯をくいしばった沈黙にほかならないことを知っているからである。

その後も、「サークル村」に掲載する対談・座談会と席をともにした。しかしながら、「ある種の決裂と対峙」は、解消しようもない。文化運動の方法論からして、まったく反する。同じく

「工作者」として生きようとしても、地味な大衆工作を積み重ねていく上野と、言葉によって「知識人」工作に賭けた谷川は、まるで水と油の関係である。「事実」の力でもって変革を目指す上野と、「言葉」の持つ力でイメージ（意識）の変革を優先する谷川との相違である。そのどちらが正しいと言える事柄ではない。

この問題は、松本輝夫が、その著書『谷川雁――永久工作者の言霊』（平凡社新書、二〇一四年五月）で命名した「永久工作者」の問題として、永続革命ならぬ文化運動の永続のなかで普遍的な課題である。

なお、『原点が存在する』と同じく、本書でも、「特殊部落」をはじめ、今日では差別的表現として忌避される用語が数多い。この用語をめぐる問題は、『原点が存在する』解題で簡単に触れた。また、筆者が故人であることと、言語表現が著しく時代的背景を持つことを考慮して、初出・初刊の表記を採用している。

著作リスト　1959・1－12

凡例
※詩作品は除いている。
※発行者の変更なき場合は記載していない。
※冒頭の数字は本評論集の収録順で、戦は『戦闘への招待』に収録されたものである。
※評論集未収録のうち、＊印は八木俊樹編『無の造形——谷川雁未公刊論集』（私家版、一九七六年）にも未収録である。

※1958年
10　11・20　女たちの新しい夜——創造と組織の谷間にあるもの　サークル村3（1－3）　九州サークル研究会

1959年
5　1・1　沈黙の夜を解くもの　日本読書新聞983　日本出版協会
1　1・6　工作者の論理（——T氏への手紙）　思想の科学1　中央公論社
1・20　籠のなかの鼠たち（一幕）※山田健二の筆名　サークル村5（2－1）
1・20　混沌と貧乏と懐疑と——サークルの根に渦まくものを追つて　南九州サークル懇談会（討論）

4

2・5　何が「警職法」を破ったか　※特集・警職法「改正」と大衆運動論　思想416　岩波書店

サークル村5（2－1）

11

2・15　報告風の不満——九州の情勢をめぐって

※**初出題名**　警職法「改正」と各地方の運動（その二）——九州各地における闘争の思想的意味について

国民文化3　国民文化会議

2・20　編集後記　※署名・雁　サークル村6（2－2）

3・20　女のわかりよさ——山代巴への手紙　サークル村7（2－3）

3・20　編集後記　※署名・雁　サークル村7（2－3）

3

4・1　伝達の可能性と統一戦線——日高六郎への手紙　中央公論（74－5）　中央公論社

4　サークルの切羽はどこにあるか——ある炭鉱でおきたサークル誌発禁事件をめぐって

月刊炭労106　日本炭鉱労働組合

＊

4・1　新しい愛情とサークルの問題——第一回県民文化集会記念講演

文芸大分3　大分県民文化会議

6

4・8　明日へ生きのびること——組織論の前提　東京大学新聞復刊79　東京大学新聞社

4・20　サークル成長の物語を編もう　※九州サークル研究会事務局

サークル村8（2－4）

4・20　「全国交流誌」発刊準備について　※九州サークル研究会

サークル村8（2－4）

4・20　「全国交流誌」よびかけ　※新雑誌計画準備委員会
サークル村8（2－4）
4・20　編集後記　※署名・G　サークル村8（2－4）
4・20　「全国交流誌」よびかけ　国民文化4
4・20　サークル運動の質的転換をめざして――文化活動地方代表者会議開く（討論）
国民文化4
4・30　ハガキ批評　詩学（14－5）　詩学社
9　5・1　私はロルカを買わない――「血の婚礼」への倫理的攻撃
テアトロ188（26－5）　テアトロ
5・4　ここはとかげの頭――夷狄風の貪欲な美しさ　日本文化地図1959／九州
日本読書新聞1000
5・10　「全国交流誌」発刊準備について（再録）　※九州サークル研究会
阿蘇47　阿蘇文化の会
5・10　よびかけ（再録）　※新雑誌計画準備委員会
阿蘇47
5・11　くたばれ組織論――田舎詩人の対決　※真壁仁との対談　日本読書新聞1001
5・20　編集後記　※署名・雁　サークル村9（2－5）
7　5・25　『城下の人』覚え書――士族の私用の論理
思想の科学6月号
2　6・1　観測者と工作者
民話9　未来社
＊　6・1　これからの詩はどうなるか　※アンケート回答

現代詩手帖（2－6＝創刊号）　世代社

6・10　サークル運動の現在地点　※《動向》欄
文学（27－6）　岩波書店

6・20　九州の屋根で大交流を――村人よ阿蘇に結集しよう！　※九州サークル研究会
サークル村10（2－6）

6・20　創造のエネルギーはどこに存在するか――文学運動の原理と構造をめぐって　※関根弘との対談
サークル村10（2－6）

6・22　御縁がないのです
日本読書新聞1007

6・25　対象化されてない幸福論――松原賞選評
九州大学新聞432　九州大学新聞部

6・30　「全国交流誌」発刊準備について（再録）
国民文化5

7・10　阿蘇への白地図　※無署名（九州サークル研究会）
サークル村11（2－7）

7・13　初期修験道の役割――無着成恭氏の『教育ノート』を読んで
週刊読書人283　日本書籍出版協会

13　7・27　分らないという非難の渦に
日本読書新聞1012

14　8・1－9・1　びろう樹の下の死時計――トカラ列島臥蛇島のまわりから
中央公論（74－11／12）

8・1　軍事方針　※特集・日本国家改造法
現代詩（6－8）　飯塚書店

8・10　現代社会におけるサークルの役割――第二回総会記録（討論）

サークル村12（2－8）

8・17 阿蘇にえがく地図――九州サークル研究会第2回総会
日本読書新聞1015

8・31 サークルの諸問題――「サークル問題研究会」をはじめるにあたって（討論）
国民文化6

8 9・1 庶民・吉本隆明――吉本隆明著『芸術的抵抗と挫折』（未來社刊）から ※「書評」欄
思想の科学9

9・10 荒野に言葉あり――上野英信への手紙 サークル村13（2－9）

9・10 編集後記 ※署名・雁 サークル村13（2－9）

12 10・1 母親運動への直言 婦人公論（44－10） 中央公論社

＊ 10 炭鉱労働者の恋愛と結婚――《大正炭鉱における座談会》
月刊炭労112

戦 10・10 政治的前衛とサークル ※特集・文化運動における創造と組織
文学（27－10）

10・10 無重力 ※山田健二の筆名 サークル村14（2－10）

＊ 10・28 国鉄労働者の病気診断――サークルの現状と問題点
門鉄広場37 国鉄労働組合門司地方本部

10 さらに深く集団の意味を――「サークル村」創刊宣言より（抄）（再録）
国民文化全国集会・資料 国民文化会議

戦 11・9 軸と回転――今日の停滞を打破る方向 週刊読書人299

戦 11・10 武勇の国の臆病者を――文学の切羽としての労働について ※「文学の窓」欄

11・10　急募！　アイディア多数——のびのびと新しい行動を誘うもの※編集委有志
　　　　　　　　　　　　　　　　　　　　　　　　　　　文学（27－11）
11・10　編集後記　※署名・G
　　　　　　　　　　　　　　　　　　　　　　　　　　　サークル村15（2－11）
11・16　人民文化創造の基礎を——学生サークル活動に望む
　　　　　　　　　　　　　　　　　　　　　　　　　　　サークル村15（2－11）
　　　　　　　　　　　　　　　　　　　　　　　　　　　学園新聞998　京都大学新聞社
11・16　特殊部落という言葉——東上氏への反論
　　　　　　　　　　　　　　　　　　　　　　　　　　　日本読書新聞1028
11・16　日本文化の盲点と原点　※日高六郎との対談
　　　　　　　　　　　　　　　　　　　　　　　　　　　AAA　コダマプレス
11・30　〔帯文〕
　　　　　　　　　　　　　　　　　　　　　　　　　　　上野英信『親と子の夜』　未来社
12・1　サークル論をめぐる討議から——思想の科学研究会一九五九年度総会報告（討論）
　　　　　　　　　　　　　　　　　　　　　　　　　　　思想の科学12
12・7　過去の誤算を衝く——近代日本思想史講座第七巻『近代化と伝統』
　　　　　　　　　　　　　　　　　　　　　　　　　　　日本読書新聞1031
12・10　大衆形式と労働者の顔——上野英信著「親と子の夜」をめぐって　※上野英信との対談
　　　　　　　　　　　　　　　　　　　　　　　　　　　サークル村16（2－12）
12・14～60・1・11　日録
　　　　　　　　　　　　　　　　　　　　　　　　　　　日本読書新聞1032～1035
12・18　現代詩展望——お幸せな詩人たち
　　　　　　　　　　　　　　　　　　　　　　　　　　　毎日新聞（西部本社版）　毎日新聞社
　　　　第四回国民文化全国集会——第二分科会（討論）
　　　　　　　　　　　　　　　　　　　　　　第四回国民文化全国集会 記録　国民文化会議

※1963年

15　8・25　現代思潮社版　あとがき　『工作者宣言』現代思潮社

（作成　坂口博）

主な校異

一、本書における、初出・初刊（中央公論社、一九五九年一〇月）との主な校異をまとめた。ただし、後版（現代思潮社版、潮出版社版、河出書房新社版など）との異同は記していない。

二、全般的に、日本語表記法の過渡期のために、送りかなは混在している。例えば、少なく／少く、誤り／誤まり、などは初出のままである。

三、ここでは、初出と初刊における主な異同のみを記載、軽微な句読点などの異同は省いた。明らかな誤植は、初出・初刊ともに記載していない。

四、本書で採用した表記を**太ゴチック体**で示した。異同箇所には傍線を付した。

工作者の論理

	初出	初刊
9頁2行	**（――T氏への手紙――）**	――T氏への手紙―― ※本文冒頭から副題へ
10頁13行	剣と数学と花を	**剣と数学と花を**
13頁4行	**または彼が**	また彼が
15頁11行	**分ってるじゃないか。」といった**	分ってるじゃないか」といった
16頁16行	**「――そのためには**	――そのためには

17頁6行　**死ぬ言葉であろう。」**　死ぬ言葉であろう。

観測者と工作者

28頁7行　かあいそうな男　かあいそうな男

※現代表記の「**かわいそうな男**」に訂正

36頁2行　誤まっています。　**誤っています。**

37頁6行　**決意を充分に**　決意を十分に

42頁14行　およそ百の知識人　**凡百の知識人**

43頁12行　**老同志を充分に**　老同志を十分に

伝達の可能性と統一戦線

44頁2行　**――日高六郎への手紙――**　――日高六郎への手紙――

※本文冒頭から副題へ

55頁2行　対島　対島　※「**対馬**」に訂正

何が「警職法」を破ったか

66頁7行　**法案とを秤りにのせれば**　法案とを秤にのせれば

67頁3行　**充分な自信を持って**　十分な自信を持って

76頁11行　**充分な内的成熟**　十分な内的成熟

76頁16行　**加えられつづけている**　加えられ続けている

78頁6行　なかみ、それぞれ　**なかみを持ってはいたが、それぞれ**

明日へ生きのびること

89頁5行　**充分ということは**　十分ということは

90頁9行　行動主義に陥いる　**行動主義に陥る**

『城下の人』覚え書

101頁1行　**狭いものは過まつ。**　狭いものは過つ。

庶民・吉本隆明

123頁16行　**彼がなお充分に**　彼がなお十分に

私はロルカを買わない

128頁10行　**それだけで充分に**　それだけで十分に

女のわかりよさ

142頁2行　**――山代巴への手紙――**　――山代巴への手紙――　**※本文冒頭から副題へ**

145頁9行　おめえ資本論読んだか。賃労働と資本ぐらい　おめえ資本論読んだか。『賃労働と資本』ぐらい

※おめえ『資本論』読んだか。『賃労働と資本』ぐらい

分らないという非難の渦に

166頁1行　かあいい私の民　　かあいい私の民　※現代表記の「**かわいい私の民**」に訂正

168頁1行　**定義が生まれる。私たち**　　定義が生まれる。［改行］私たち

171頁6行　**腹をかかえてしゃべる。──**　　腹をかかえてしゃべる──

171頁14行　**分らないとか分りたいとか、**　　分らないと分りたいとか、

びろう樹の下の死時計

211頁11行　**充分答えるひまもなく、**　　十分答えるひまもなく、

（作成　坂口博）

谷川雁（たにがわ・がん）

1923年12月熊本県水俣市生まれ。
45年 東京大学文学部社会学科卒業。8カ月の従軍。
54年 『大地の商人』（詩集、母音社）
56年 『天山』（詩集、国文社）
58年 『原点が存在する』（弘文堂）
森崎和江、上野英信、石牟礼道子らと「サークル村」を福岡県中間市で創刊。
59年 『工作者宣言』（中央公論社）
60年 『谷川雁詩集』（国文社）
中間市の大正炭坑を拠点に大正行動隊を組織。
61年 『戦闘への招待』（現代思潮社）
吉本隆明、村上一郎と「試行」創刊。
62年 山口健二、松田政男らと「自立学校」設立。吉本隆明、埴谷雄高らとともに講師をつとめる。
63年 『影の越境をめぐって』（現代思潮社）
65年 幼少年のための外国語教育機関「ラボ教育センター」創設。
81年 「十代の会」主宰。
82年 「ものがたり文化の会」主宰。
83年 『意識の海のものがたりへ』（日本エディタースクール出版部）
84年 『無の造型 60年代論草補遺』（潮出版社）
85年 『海としての信濃 谷川雁詞集』（深夜叢書社）
『賢治初期童話考』潮出版社）
89年 『ものがたり交響』（筑摩書房）
92年 『極楽ですか』（集英社）
95年 『北がなければ日本は三角』（河出書房新社）
『幻夢の背泳』（河出書房新社）
2月病没。

坂口博（さかぐち　ひろし）
１９５３年佐賀県伊万里市生まれ。福岡県立東筑高校卒業後、いくつかの職を経て、92年より福岡市の出版社・創言社編集人。滝沢克己・キェルケゴールなどの哲学および文学書の出版に携わる。２０１３年退職。現在は火野葦平や「サークル村」関係などの文学研究と文学館活動に専念。文学批評誌「敍説」同人。著書『校書掃塵――坂口博の仕事Ⅰ』（花書院）、共編著『「サークルの時代」を読む』（影書房）、共著『活字メディアの時代』（福岡市・新修「福岡市史」特別編）『〈原爆〉を読む文化事典』（青弓社）。福岡県福津市在住。

＊本書は、一九五九年一〇月に中央公論社より刊行された単行本を底本とし、初出誌紙と校合したものである。その詳細は解題および校異を参照のこと。

工作者宣言《こうさくしゃせんげん》

著者　谷川雁《たにがわがん》

二〇二二年八月二〇日　第一刷発行

発行所　有限会社月曜社
発行者　神林豊
〒一八二―〇〇〇六　東京都調布市西つつじヶ丘四―四七―三
電話　〇三―三九三五―〇五一五（営業）／〇四二―四八一―二五五七（編集）
ＦＡＸ　〇四二―四八一―二五六一
http://getsuyosha.jp/

装画　千田梅二
装幀　町口覚
編集　神林豊＋阿部晴政
編集協力　小原佐和子
印刷・製本　モリモト印刷株式会社

ISBN978-4-86503-146-1　C095